ブックレット《アジアを学ぼう》54

金 悠進

越境する〈発火点〉

インドネシア・ミュージシャンの表現世界

風響社

越境する〈発火点〉——インドネシア・ミュージシャンの表現世界

金　悠進

越境する〈発火点〉

ズドーンッ！

まさに雷だった。私が大学院に入って間もない二〇一五年、大阪での出来事である。インドネシアの音楽家ハリー・ルスリ（Harry Roesli）の代表アルバム『発火点（Titik Api）』（一九七六年）は、オープニングから強烈な印象を私に与えた。ギー……ギー……と古びた扉が不気味に鳴る。急にバタン！　バタン！　と勢いよく扉が閉まる音に緊張が走る。一瞬、静寂が来る。息を呑む。そこで突然、ズドーンッ！　と激しいエレキギターにドラムとベース、さらには伝統楽器ガムランのアンサンブルが一気に襲いかかってくる。それは「音」ではなく、間違いなく「雷」だった。異国の地の〈発火点〉が時代と国を超えて、私の胸を燃やした。

正直、こんな言い方は大げさだと思う。似たような語りは嫌というほど聞いてきた。私の高校時代のヒーロー矢沢永吉は、ラジオから流れるビートルズの曲を聴いて、「雷がドーンと落ちたくらいの衝撃」を受けたという。あ

図1 『発火点』

るいは、パンクロッカーたちは、「セックス・ピストルズをみて背中に電流が流れた」という。「ほんまかいな」と、にわかには信じられなかった。そんな経験をしたことがなかったからだ。

しかし、誇張ではなかった。確かに雷が落ち、電流が流れた。それぐらいの衝撃を受けた。私はハリー・ルスリに一目惚れした。それ以来、完全に彼の虜となってしまった。

二〇一四年大学院入学当時、インドネシアの音楽にほとんど興味はなかった。そもそも「インドネシアの音楽」が何かよくわからない。「伝統的」、「民族的」と言われる打楽器（のようなもの）を使っているイメージがあったかもしれない。しかし、ハリー・ルスリの音楽は、私の貧しい固定観念を覆した。七〇年代の欧米ロックを基調としつつ、インドネシアの伝統音楽を融合させた楽曲は、まったく新しい音楽として聴こえた。『発火点』は、インドネシアで、しかも一九七〇年代に作られていたとは思えないほど、新しい。

ハリー・ルスリは、二〇歳前後でインドネシア初のプロテストソングを作曲し、商業性を度外視した技巧的で複雑な作品をつくり続け、すべての思考、観念を破壊してきた。一方で、裕福な家庭で生まれ育ちながら、超エリートとしての出世街道を拒み、貧しい子供たちの社会的支援活動を行ってきた。不真面目な表現活動と真面目な私生活を併せ持つ稀有な男であった。他に類を見ない、すべてが異例づくしの音楽家は、「鬼才」といったやや古びた言葉では言い表せないほどである。

この理解しがたい音楽家ハリー・ルスリの表現世界について書くこと、ひいては、彼を通してインドネシアを対象化すること、これが本書を貫くテーマである。

一　なぜバンドンか

1　二人の人物との「出会い」

インドネシア調査期間中になんども聞かれて、返答に困った質問が二つある。「なぜインドネシアを研究しているのか」、「なぜインドネシアの音楽を研究しているのか」、この二つの質問である。

返答に困るのは、もしかしたら特に理由がないからかもしれない。もちろん、学術論文を執筆する際には、自分が調査する地域や対象の学術的意義を明確に示す必要がある。しかし、ここではあえて個人的な思いや動機というものを含めて書き出してみたい。その思いを綴るわけは、私とインドネシアを（かろうじて）つなぎとめる、音楽家ハリー・ルスリに、私自身が悩まされてきたからに他ならない。

「なぜインドネシアを研究しているのか」ではなく、「なぜインドネシアのバンドン市を主な調査地に選んだのか」と問われれば、その答えは明確である。二つ、理由がある。

一つ目は、（故）村井吉敬先生（以下、敬称略）の『スンダ生活誌――変動のインドネシア社会』との出会いである。日本の読者にとっては、『エビと日本人』（一九八八年、岩波書店）の作者として思い出されよう。『スンダ生活誌』は、一九七八年に出版された、インドネシア研究者、村井吉敬（当時三四歳）のデビュー作である。「スンダ」とは、バンドンを中心とする西ジャワ州に多く居住する民族（スンダ人）やその文化圏（スンダ地方）を指す。同書は、村井が、一九七五年から二年間、バンドンのパジャジャラン大学に留学した時の記録である。三〇年以上たった今も多くの人に読まれ、二〇一四年に新編集版が出版された［村井 二〇一四］。

村井吉敬本人に会ったことはない。村井が亡くなった二〇一三年は、私が大学四年生で初めてインドネシア研究の存在を知った年である。初めてバンドンに行った二〇一五年、『スンダ生活誌』を読み、バンドン渡航への期待に胸を膨らませたことを記憶している。私がバンドンを選んだ一つ目の理由は、この本に強く影響を受けたことである。

二つ目が、冒頭で述べた音楽家（故）ハリー・ルスリとの「出会い」である。一九五一年にバンドンで生まれ、人生の大半をこの地で過ごしたこの人物は、今も私が最も敬愛するミュージシャンである。ハリー・ルスリは二〇〇四年一二月一一日、五三歳の若さで亡くなっている。ちなみに、私は、一九九〇年一二月一一日生まれなので、私が一四歳の誕生日を迎えた日に亡くなったことになる。ハリー・ルスリの命日と自分の誕生日が同じであるというだけで、勝手に運命的なものすら感じてしまうのだ。

私はまだ、ハリー・ルスリについて論じたことはない。「好き」を対象化することは非常にむずかしい。とはいえ、私がバンドンで調査するきっかけとなった最大の理由の一つが、ハリー・ルスリの存在であることは間違いない。「なぜバンドンで調査しているのか」と問われれば、「ハリー・ルスリが好きだから」と胸を張って答えるだろう。

2　エリートと民衆

研究者・村井吉敬と音楽家ハリー・ルスリのどちらも「作品」を通して知った。偶然にも、前者はバンドンを舞台とするエッセイ、もう一つはバンドンが生んだ狂気じみた音楽であった。「なんかバンドンおもろそう」という気持ちが日に日に強くなった。

本書を書くにあたり、村井吉敬の『スンダ生活誌』をもう一度読み返してみた。やはり、古びない良さがあり、趣がある。読むたびに新たな発見がある。村井は、スハルト権威主義体制（一九六七〜一九九八年）の「開発」という名の下に、近代化の流れに置き去りにされ、弾き飛ばされるスンダの「民衆」の生活感情を理解しようともがく。村井自身の「小さな民」への共感が濃密に凝縮されている。

しかし、私はこの本を初めて読んだときから、ところどころ気になる箇所があった。村井は比較的あっさりと書いているのだが、七〇年代当時バンドンに「高いハイヒールに、とんでもなく幅広のパンタロンをはいた男子学生」［村井 一九七八：六六］が存在していたという記述だ。まさにアメリカのヒッピーカルチャーを模倣しているではないかと。また、別の箇所では以下のような記述もある。

いま、スンダの若者たちは、ワヤン（伝統的影絵芝居）やチアンジューラン（スンダ地方の民謡）、ジョゲット（踊り）やカバヤン（スンダ地方の民話）の世界を離れ始めている。古いドンゲン（スンダ地方に伝わる古い伝説）や、テンポののろい、退屈な音楽よりも、ロックやオートバイ、テレビやアメリカ映画に、若者は強い魅力を感じている（括弧内筆者）［村井 一九七八：一四九］。

一九七〇年代のインドネシアに、ヒッピーや「ロックに酔いしれる若者」がいたことに対して、素直に驚いた。じつは、村井が留学し始めた一九七五年とは、まさにインドネシアのロック音楽シーンの全盛期にあたる。そのロック黄金時代を支えたのが、まさにバンドンの若者であった。この「ハイヒール」とは、いわば厚底ブーツであり「パンタロン」とはベルボトムやフレアパンツ、ワイドパンツ、ブーツカットの一種である。一九七〇年代のインドネシアには、アメリカのヒッピー風ファッションや同時代の欧米ロックに感化された「西洋かぶれ」な大学生が少なからずいた。私はかれら若者たちの生活世界に、興味がわいた。

一方、村井はこのように述べる。

靴みがきの小学生の前に、高いハイヒールの足を投げ出す大学生の姿は、民衆から浮き上がった大学の在り方を象徴するかのように、わたしの目に映った〔村井　一九七八：六六〕。

村井は、このような「エリート意識まる出し」の大学生を毛嫌いしていた。同感だ。私も、バンドン工科大学やインドネシア大学など国立エリート校の大学生に下手くそなインドネシア語で話しかけて、かれらに「インドネシア語訛りのないネイティブ風英語」で得意げに話されると、鼻についたものだ。

だが、違和感もある。村井は、民衆の「したたかな生きかた」に思いを寄せ、時に美化し、反対にエリートに対しては批判的なトーンでややネガティブな形容をする。バンドンの大学生は、スンダ民衆の世界とは一線を画す「エリート」の一員として象徴化されている。〈貧しいスンダ農民〉対〈バンドンの金持ち〉という対比構造が明確である。いや、明確すぎる。

音楽家ハリー・ルスリはどんな人物であったか。超金持ちのスンダ人である。一九七〇年代前半に名門バンドン工科大学に通い、欧米文化にかぶれ、ロックを演奏していた。村井からすれば、完全なる「エリート」である。

しかし、エリートはエリートでも、ハリー・ルスリは、民衆を見下すエリートではなかった。村井が毛嫌いした、ハイヒールにパンタロンを履いてロックに酔いしれた西洋かぶれのエリート大学生とは少し違う。

つまり、村井は、開発からこぼれ落ちる民衆たちのひとりひとりの生活世界を詳細に描く一方で、大学生もおしゃれ好きの若者もロック好きの若者もヒッピーも、スハルト権威主義体制による開発の恩恵に授かった「エリート」として一括りにしてしまっている。

もちろん、村井はエリート大学生全員を否定しているのではない。『スンダ生活誌』を書いた翌年には、バンドンの大学生たちによる学生運動の意義とその限界について克明に論じている［村井　一九七九：一八九―一九八］。ハリー・ルスリも当時学生運動に参加した一人である。しかし、後述するように、村井が（西洋かぶれのノンポリよりは）肯定的に描く学生運動の主体と、ハリー・ルスリは同じエリートでも、ひとくくりにはできない違いや多様性がある。村井は「民衆」をエリートとの対比で描くために、あえて単純化せざるを得なかったのだろう。加えて、確かに、〈民衆〉対〈エリート〉という二項対立は、当時の貧富の格差を考えれば、今よりもよっぽど鮮明であったにちがいない。しかし、このエリートたちのなかにも、民衆と同様に多様性があるのではないか。そんな小さな引っかかりを、『スンダ生活誌』は与えてくれたのである。

一九七〇年代の音楽家ハリー・ルスリを取り上げて、彼の文化戦略や表現世界を内在的に理解する。すなわち音楽家の人となりや文化表現、そしてそれが抱える矛盾といった多面的人物像を通してインドネシアの歴史・政治社会の一側面を描きだすこと。これが本書のストーリーの軸となっている。ただし、あらかじめ断っておくならば、私はハリー・ルスリという人物を、「インドネシアを代表する音楽家」として象徴化するわけでもなく、彼の唯一無二といわれる音楽表現を特権化するつもりはない。あとで詳しく述べるように、あくまでハリー・ルスリは逸脱事例でしかない。ただ、彼を単なる例外としてのみ扱い、インドネシア文化史の背景に追いやってしまうことは本意ではない。ハリー・ルスリに限らず、一見きわめて特異とも思える出来事や人物が、じつは普遍的な意義を有することがあるのではないか。つまり、これは特殊性と普遍性に関わる問題である。音楽家個人を通してどこまでインドネシアの政治・社会・文化を見渡すことができるのか、あるいは一人の表現者が、日本や世界のなかでいかなる普遍的な価値を持ち、また同時に、限界を持っているのか。こういった疑問は、地域研究や文化研究の普遍性と多様性に関わる課題とも通底するであろう。その意味でもハリー・ルスリにスポットライトを当ててみたいのである。

二 「インドネシア音楽」を対象化する

1 地方都市バンドンからみる

バンドンを選んだ理由が、もう一つある。ジャカルタ以外の都市だから、という消極的理由である。二〇一四年に大学院に入学して、初めてインドネシアに調査に向かったとき、私は一か月間、ほぼ毎日のように首都ジャカルタのアパートに引きこもった。ジャカルタの暑さや渋滞など慣れない環境に嫌気がさした。帰国後、日本の研究仲間から、「バンドンは涼しい」という話を聞き、バンドンにした。人口二五〇万人を抱えるインドネシア第三の都市であり、西ジャワ州の州都である。街が小さく、人口が市内中心部に密集しているため渋滞はひどいが、ジャカルタほどではない。盆地で標高の高い高原都市なので、年中比較的過ごしやすい気温である。

初めてバンドンに着いた時、涼しさよりも印象に残ったのは、目の前一面に広がる小さなスニーカーショップである。これは一般的に「ディストロ」と呼ばれ、「ディストリビューション・アウトレット」の略語として、インドネシアで定着している。音楽・スケートボード関連の商品を販売するストリートブランドが、バンドンの街中にずらりと並んでいる。その光景を目の当たりにして、ジャカルタと、今まで見た街と、「何かが違う」と直感的に思った。

通常、自らの生育地の特異性に気づくことは少ない。しかし、外から見たときの風景は、そこに住む人とはまったく異なる印象をもたらす。酒井隆史は大阪ディープサウス史の快著『通天閣』の「あとがき」でこう記述している。「JR天王寺駅をおりたときから、この町はこれまでみたどの町ともちがっていた。……この町は、あきらかに特別なのだ。……なにか解きがたい秘密を抱えているようにみえた」［酒井 二〇一一：七三二］。

生まれてから二〇年以上天王寺区に住んでいた私にとって、大阪環状線JR天王寺駅は見慣れた風景であり、日常である。小学生時代、サッカー部の遠征試合に出かける時は、部員全員が天王寺駅北口に集合していた。中学生の時、ちょっとおしゃれに目覚めたら、天王寺駅南口方面のショッピング街へと足を運ぶ。私にとってそれは「特別」ではない。

しかし、私は、初めてバンドンに降り立った時、「この町はあきらかに特別だ」と確信した。私は、ジャカルタからバンドン行きの高速鉄道を使わなかった。これが功を奏した。ふつう、ジャカルタからバンドンへと向かう高速鉄道は、見晴らしの良い景色として有名であり、まずは鉄道を利用するのが一般的である。しかし、なぜかシャトルバスに乗った。鉄道に乗れば降り立つのは旧市街近くのバンドン駅だが、シャトルバスに乗れば、バンドン北部の学生街に降り立つ。そこで見た、通り一面に並ぶスニーカーショップの数々に、まず相当大きなインパクトがあった。何かがおかしい、何かが違うと思った。その時頭に浮かんだのは、東南アジア研究者ベネディクト・アンダーソンの著書『ヤシガラ椀の外へ』の帯――「何かが違う」「あるべきものがない」 そうした気づきから フィールドワークでの学問は始まる――である。

バンドンでの「気づき」の一つは、「インドネシアらしくない」ということだった。つまり、特別感がないということこそが特別であった。例えば古都ジョグジャカルタや、バリ島など有名な観光地は、インドネシアの多様性、いわゆる「伝統的」「民族的」（と言われる）イメージを想像させるまちだが、バンドンはこれといった特徴がない。通天閣のような街を象徴するモニュメントもない。「あるべきものがない」のである。

ハリー・ルスリはかつて「バンドンには馬糞がある」と自嘲気味に笑いながら歌ったことがある。毎週土曜日早朝のカーフリーデーでは、市民が歩く大通りを馬が通りすぎ、カーフリーデーの行事が終わる昼前には、街中に馬

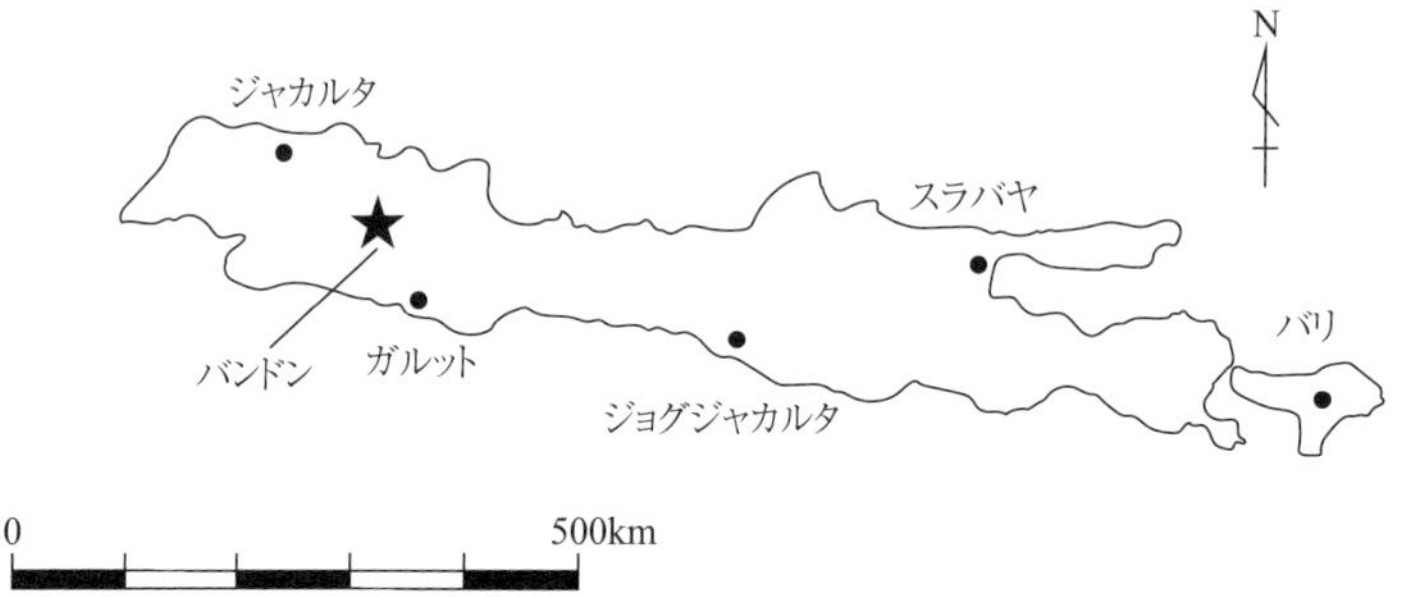

図2　ジャワ島とバリ島

糞がある。私にとって、毎週土曜日の朝の日課は馬糞を踏むことになってしまった。街には何もないが、馬糞だけはある。

バンドンと聞いて想像するのは、一つは一九五五年に開催された「アジア・アフリカ会議」であろう。通称「バンドン会議」として知られ、開催会場となった場所は「独立会館」となり今や観光名所の一つとなっている。バンドンは、「独立のシンボルとしての位置付けを与えられている」［村井　一九八三：三二］と村井が述べたように、二〇世紀前半、同市はインドネシア独立闘争の中心的な場所であった。しかし、こういった反植民地主義的な独立運動のイメージの一方で、きわめて西洋文化が根強く残っている地域でもある。オランダ時代に植民地都市として栄えたバンドンは、西洋かぶれの若者たちを引き寄せる磁場となった。ハリー・ルスリの音楽仲間ハリ・ポチャンによると、コロニアルな文化は単に物質的な洋風建築に表れるのではなく、バンドンの人々の心に内面化されているのだと語る。特に近代美術やポピュラー音楽など若者文化の領域においては、オランダ植民地時代の残影が、バンドンの文化実践に少なからぬ影響を与えている［金二〇一九］。

もう一つバンドンと聞いて想像するのは、スンダであろう。一般的にバンドンは、スンダ地方の中心地と紹介される。何をもって「中心地」とするのかはわからないが、少なくとも、スンダ語に関しては、バンドン市から離れた西ジャワ州ガルット県の方が、スンダ語話者が多く、バンドン市はむしろ、市外からの人口増加・民族的多様性によってインドネシア語が卓越している。相対的にバンドン市の「スンダ色」は年々消えつつあるとも言える。「バンドン＝スンダの中心地」という等式は正確ではない。映画『ロッカー、田舎に帰る（*Rocker Balik Kampung*）』ではバンドン市で活躍するロッカーが、バンドンを出て故郷（カンプン）の田舎に帰ると、インドネシア語ではなくスンダ語を話し始める。この映画では、バンドンがロックで成功する場として描かれ、バンドンから少し離れた田舎の農村が、夢に敗れた若者が帰る場として、スンダの伝統的な慣習が強い地域として対照的に描かれる（ちなみにこの映画自体はあまり面白くなく、観客は私だけであった）。

ポピュラー音楽の中心地であること、これがバンドン最大の特徴である。ここでの中心地とは、インドネシアで活躍する著名ミュージシャンを多く輩出してきたという事実による。加えて、インドネシア音楽界における先駆的実践がこの街から生まれてきたことにもよっている。国内の音楽評論家や欧米のインドネシア音楽研究者がこぞってバンドンを音楽シーンの重要拠点として位置づけるのは、こういった背景がほとんど常識的になっているからである。

図3　バンドン市内中心部

インドネシアを知る日本人からすれば、バンドンのイメージは、音楽よりも「スンダ美人」かもしれない（スンダ人は美人説がある。あくまで俗説だが）。しかし、インドネシア人にとっては、バンドンといえば「ヘヴィメタル」だろう。メタルバンドの多さと人気は他地域に比べて卓越している。国内トップのメタルバンドはバンドンを拠点にしている。

このようなバンドンの音楽文化の盛り上がりを下支えしてきたのは、若者である。インドネシアは、人口二億六〇〇〇万人のうち過半数を若年層が占めるといわれる。経済成長によって都市中間層も台頭してきた。かれら若者たちこそが、音楽産業の発展を支える主役である。特にバンドンは若者が多く、大学も多い学園都市である。かれらは普段どんな音楽を聞くのだろうか、どんなアーティストのライブを見に行くのか。どんなジャンルのミュージシャンが多いのか。この素朴な疑問が私の問題意識の基層にある。

篠崎弘の著書『カセット・ショップへ行けば、アジアが見えてくる』の帯には、こう書かれている。

「流行歌ひとつ知らないで、人を、社会を語れるだろうか」。

私たちのように日本に住む人々は、東南アジアの大衆娯楽界で活躍する有名人をほとんど知らない。K－POPなどに比べて、インドネシアの音楽の特徴などについては全くの無知といってよい。例えば、友人にインドネシアの音楽について尋ねてみたならば、打楽器のようなものを叩いているという漠然としたイメージを持っている。なかには、伝統的だとか遅れているという印象を持つ人もいる。

実際、学問の世界や、日本の音楽評論の世界では「インドネシアらしい」エキゾチックな音楽が重宝されてきたのである。反対に、洋楽のモノマネのような音楽は、「おもしろくない」と一蹴されることもあった。そうした研究や評論の影響力を過大視するわけではないが、現地の若者が日常的に享受する流行ポップスと研究・評論界における過大評価音楽とのギャップは是正する必要があるかもしれない。

付け加えておくが、「伝統的」な音楽であろうと、「現代的」な音楽であろうと、それによって、文化的にどっちが遅れている／進んでいるといったことは問題でもない。問題は、現地のリアリティ（供給）と学問的重要性（需要）とのギャップである。

インドネシアは、一九六〇年代から日本の若者と同じように、欧米圏の流行ポピュラー音楽をリアルタイムで享受していた。特にバンドンの若者は、最先端の英米ロックを敏感に嗅ぎ取り、吸収し、模倣していた。ハリー・ルスリはその中の一人であり、しかし例外でもあった。

2 インドネシア音楽史からの逸脱

「インドネシアらしい」音楽とは何か。「インドネシア〝独自の〟音楽」と呼ばれるジャンルが存在する。二〇世紀前半に流行したクロンチョン、そして一九七〇年代頃から現在まで大人気の大衆音楽ダンドゥットがその代表例である。クロンチョンは、かつてインドネシアの島々に来航したポルトガル人の音楽と、土着の伝統的な音楽が組み合わさって生まれた雑種音楽である。ダンドゥットは、インド映画やアラブ音楽、マレー音楽にロックなど西洋音楽が融合して生まれたハイブリッド音楽である。このほかに、スンダ、ジャワ、バリなど各地方に〝独自の〟伝統音楽があり、そのジャンルは多様である。では、ロックやポップ、ジャズなどは「インドネシア音楽」ではないのだろうか。実は、こういった「インドネシアらしくない」音楽ジャンルが、インドネシアの地域的特徴をある側面では描いているかもしれない。その可能性を見出すことが私なりのアプローチである。

そこでバンドンは好例となる。一九六七年に国内で初めてロックやポップを扱ったといわれるポピュラー音楽雑誌『アクトゥイル（*Aktuil*）』が、バンドンの若者によってバンドンで創刊された（「アクトゥイル」とは今日的とか現代的という意味の造語で、元はオランダ語の娯楽雑誌『アクトゥエール（*Aktueel*）』から取られたと言われる）。

さらに、一九九〇年代以降、バンドンは、欧米のオルタナティブロックの流行をいち早く取り入れ、デスメタル、ハードコアパンク、インディー・ポップなどの新たなジャンルの先駆的担い手を続々と輩出していった。

バンドンは、一九七〇年代におけるロック黄金期を作り出し、一九九〇年代以降のアンダーグラウンド音楽シーンを形成する磁場となった［金 二〇一七］。バンドンから「インドネシアらしさ」を感じにくいのは、ポピュラー音楽の担い手が西洋志向的であることも一因である。

なぜバンドンはインドネシア・ポピュラー音楽の中心地となったのか。これが、調査期間中の小さな問いである。アジア諸国を見渡せば、音楽産業の中心的役割を担ってきたのは、それぞれの首都である。東京、ソウル、マニラ、バンコクなど、政治経済の中心地が、ローカルの音楽産業の発展に寄与してきた。スター歌手を世に生み出すテレビ局や、全国の制作・流通・販売ルートを支配する大手レコード会社は首都を拠点にしている。

しかし、これはメインストリームの音楽産業の話である。しばしば「インディーズ」と呼ばれる自主独立的（インディペンデント）な音楽実践は、首都以外で、首都以上に盛んであることがある。それはインドネシアに限ったことではないのだが、特にインドネシアの場合は、地方都市バンドンが、多くの音楽家を生み出してきたことで知られる。その音楽家も、必ずしもメインストリームで活躍するスターではなく、むしろ、アンダーグラウンドで活動する若者たちである。

調査期間中、バンドンの音楽関係者には「どうしてバンドンは音楽シーンの中心となったか」を必ず聞くようにしていた。その答えは三つに分類される。一つは、気候がいいこと。涼しい環境が、音楽活動をのびのびと（*santai*）するのに適しているらしい。二つ目は、アクセス面での良好さである。バンドンは街がコンパクトであり、さまざまな都市機能が中心部に集中している。それでいて、首都ジャカルタとも近い。市内外においてコミュニティ同士が最新の流行文化の情報交換をするのに向いた土地であるという。インドネシアのようにインフラが未整備な地域ではこれは重要である。最後に、若者、高等教育機関の多さを必ず挙げる。新たな音楽の担い手の多くは、ある程度教育水準の高い高校・大学進学者である。キャンパスも都心に密集しており、大学生間の交流も容易である。

このような地理的特徴が、バンドンの音楽シーンを形成する上で重要な要素であった。今回取り上げるハリー・

ルスリがバンドンを音楽活動の拠点とし続けることが可能であったのは、こうした要因と無縁ではない。音楽家（ハリー・ルスリ）と地域（バンドン）の結びつきを、地理的特質のみに還元することはできないが、少なくとも、現在多くのバンドンの音楽家が、同市を活動拠点とし続けていることは、「バンドン＝ポピュラー音楽の中心地」という言説を構築する上で重要な事実である。

では、ハリー・ルスリは、他のバンドンの、あるいはインドネシアの音楽家たちとどう違うから「例外」として位置付けることが可能なのか。それについて詳しく述べていきたい。

三　ハリー・ルスリの風景

1　音楽家ハリー・ルスリの評価

ハリー・ルスリをどう評価するか。まずは、インドネシアの音楽業界で彼がどのように評価されてきたのかを見てみる。

『ローリングストーン・インドネシア』（アメリカのポピュラー音楽雑誌『ローリングストーン』のインドネシア版）ではどう評価されてきたか。ハリー・ルスリは、「歴代ベスト二五アーティスト」（同誌二〇〇八年）に選ばれ、彼の作品はというと「歴代ベスト一五〇曲」（同誌二〇〇九年）に一曲、「歴代ベスト一五〇アルバム」（同誌二〇〇七年）に三枚が選出されており、少なくともロック系の音楽メディア上では絶賛されている。

さらに、二〇一七年に「インドネシア版グラミー賞」とも言える「インドネシア音楽賞（通称AMIアワード）」で、ハリー・ルスリは「レジェンド部門」を受賞した。この「インドネシア音楽賞」はロックに限らず様々な音楽ジャンルに賞を授与しており、国内で最も名誉ある賞とされる。ハリー・ルスリはロックに限らず、一人の偉大なる音楽家として高く評価されているのだ。

ここで念のため押さえておきたいのは、これらの「歴代ベスト〇〇」や「レジェンド賞」は、二〇〇〇年代後半以降、つまりハリー・ルスリの死後（二〇〇四年以降）に、ハリー・ルスリを評価している点である。

次に学問の世界ではどうか。実はこれだけの評価を受けながら、ハリー・ルスリについて書かれた英語・日本語の論文はほとんどない。というよりほとんど触れられもしない。まず日本語の論文では皆無である。英語の論文では、インドネシア・ポピュラー音楽研究分野の論文などで、前衛的な現代音楽家の一人として例示的に脚注などで少し触れられる程度である。

そのなかで唯一の例外が、リーズ大学准教授アダム・タイソンの英語論文「発火点――バンドンにおけるハリー・ルスリ、音楽、そして政治」である［Tyson 2011］。これがハリー・ルスリを真正面から扱った唯一の論文である。主題の「発火点」とはもちろん、ハリー・ルスリの一九七六年アルバム『発火点』からとられている。ただし、アダム・タイソンは、インドネシア政治を専門としており、音楽に関しては専門外である。実際、同論文には、ハリー・ルスリ以外の音楽家たちについての事実誤認が数か所ある。

そんなアダム・タイソンだが、同論文の中で興味深い疑問を投げかけている。それは、なぜハリー・ルスリはそれほど人気がないのかという素朴な疑問である。人気がないとは、「商業的な成功をしなかった」、「ハリー・ルスリの名がジャカルタや西ジャワを超えて認知されることがない」ということである［Tyson 2011: 2］。この疑問に、アダム・タイソン自身、明確に答えられてはいない。私自身も、はっきりとした答えを準備できない。

レコードが何百万枚のセールスを記録したヒットメーカーだとか、音楽シーンを根底から変えた革命児だとか、オリジナルアルバム一枚を残して若くして悲劇的な死を遂げ伝説となったとか、ハリー・ルスリはどれも当てはまらない。ハリー・ルスリは生前、いかなる賞も受賞していない。常に非商業的であり、常に創作し、健康的で不真面目な表現活動に従事していた。約三〇年間の活動歴で、二〇作品以上のアルバムを発表した。

調査期間中、ハリー・ルスリの評価をめぐって議論となったことがある。私の受け入れ教員の一人であるインドネシア大学メラニ教授の依頼のもと、ジャカルタ芸術大学大学院主催の国際セミナーで研究発表を行った時のことである。セミナーは同大学に隣接するイスマイル・マルズキ公園の劇場前ギャラリーで開催された。ちなみにイスマイル・マルズキ公園といえば、ハリー・ルスリが一九七五年にロック・オペラ公演「ケン・アロック」をジャカルタで初披露した記念すべき場所でもある。私は、「音楽と都市――バンドンとジャカルタの比較考察」と題して発表した。私のインドネシア語は聞くに堪えないほどだったと想像する。ただ、議論はできるだけ明快にしたつもりだったし、伝わればよい、自分の名前だけでも知ってもらえればという思いで必死であった。

嬉しいことに参加者からは多くの質問が寄せられた。悲しいことに、インドネシア語での応答には苦しんだ。そろそろ時間だと司会者が、ジャカルタ芸術大学学長に閉会の言葉をお願いした。その人物は、セノ・グミラ・アジダルマ（Seno Gumira Ajidarma）といい、インドネシア現代文学を代表する著名作家である。トレードマークの長い白髪に、ハリー・ルスリと同じように全身黒の服を身にまとっていた。

セノは、私を含む発表者三人のうち、私の発表に対してだけ一言コメントした。私が、「ハリー・ルスリはあまり人気がない」と発表の中で一言だけ述べたことに対して、ハリー・ルスリの弟分として旧くから交流したセノは、「確かにそうだが、少し付け加えたい」と言い、「ハリー・ルスリの音楽自体は、インドネシア国内での支持層は限られているものの、海外、特にヨーロッパでは当時、ハリー・ルスリの音楽を高く評価する人々が存在していた」と述べた。さらには、ハリー・ルスリはレコード流通を通じて人気を高めるというよりは、「ステージ上での聴衆に対する直接的なメッセージを伝えることに長けた人物であった」と言う。一九七〇年代後半当時は、ハリー・ルスリのライブでは多くの聴衆が集まっていたことが、セノの目撃談として語られたのである。複数の資料を調べて

図4　ヤラ・ルスリ（左）

みると、ハリー・ルスリの当時のライブは、チケットが即完売だったようだ。ハリー・ルスリの公演は、ロックバンドにガムランを持ち込んだ稀有な演奏空間であり、そのようなバンド編成はかなりの高額な予算が必要であったにもかかわらず、あえてチケット代を格安にしたことも大きいと考えられる。

ハリー・ルスリの作品は今まで一度も、一曲も売れたことがないが、一部のファンの間では熱狂的な支持者を生む。レコード自体は持ってはいないものの、彼の生演奏や語りをリアルタイムで観た聴衆がいる。そして必ずしも音楽自体を聴いたことがなくても、ハリー・ルスリという名前だけは知っている人がいる。なぜハリー・ルスリという人物を知っているかというと、それは、ハリー・ルスリは単なる音楽家ではなく、さまざまな多面的人物像を持ち合わせていたからである。私はその人物像に迫るため、彼の息子に会うことにした。

2　末っ子ハリー・ルスリの生い立ち

ハリー・ルスリが一九七〇年代の他の音楽家たちと異なる点は、まず、体型である。当時、多くの音楽家たち、特にロックスターは痩せているのだが、ハリー・ルスリは比較的ふくよかな体型をしている。私が初めてハリー・ルスリの家に行き、息子ヤラ・ルスリに会った時、まず驚いたのはその体型である。まるでハリー・ルスリがまだ生きているかのごとく、息子は父そっくりの肥満体型だった。今では、貧しい人々の体型として肥満が珍しくないのだが、一九七〇年代当時の肥満は、おおかたは裕福な家庭に生まれた「ボンボン」であろう。ちなみにハリー・ルスリの死因の一つはタバコの吸いすぎ、もう一つは、食べ過ぎ早食いである。

図5　ハリー家系図

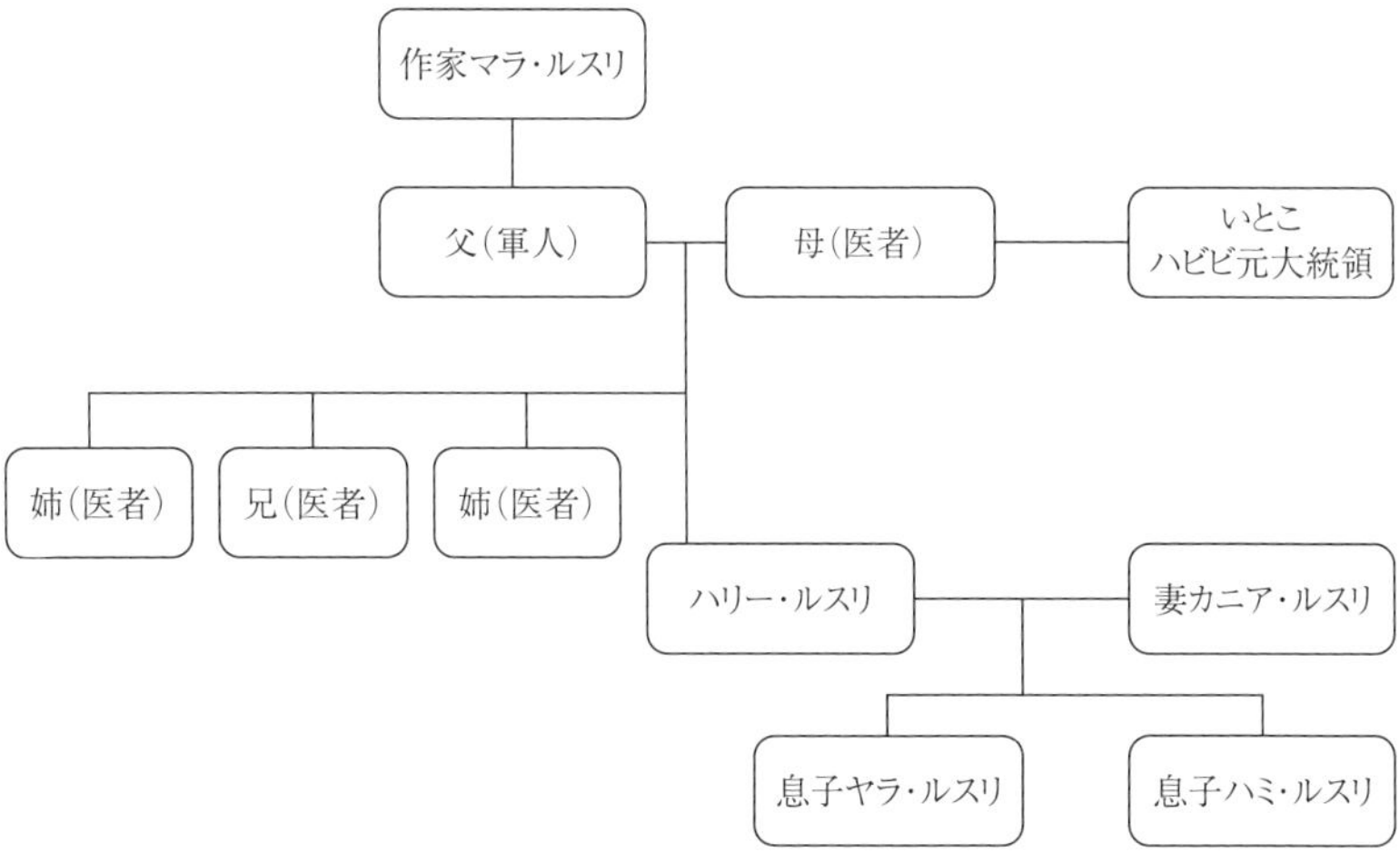

ヤラ・ルスリは私に、とつとつと、そして笑いながら自分たちがいかに特異な家庭環境で育ってきたのかを話しだした。ハリー・ルスリの父は陸軍高級将校、そして母は医者で、インドネシア共和国第三代大統領ハビビの親戚である。祖父マラ・ルスリは、一九二〇年代の近代文学を代表する作家である。父ルスハン・ルスリは、一九四〇年代半ば、対オランダ独立戦争を戦った生粋の軍人である。

陸軍将校（父）と医者（母）との間に生まれた子供たちは、裕福な家庭環境で育った。二人の姉（長女・次女）、兄（長男）はパジャジャラン大学医学部を卒業し医者となり、四人きょうだいの末っ子のハリー・ルスリは、バンドン工科大学に入学し、機械工学を専攻した。バンドン工科大学もパジャジャラン大学もインドネシアの名門国立大学であり、一九七〇年代当時、このような大学に進学できたのは一部のエリートである。特にバンドン工科大学は、国内で一、二を争うトップ校として知られる。スカルノ初代大統領が、同校の前身校出身だったことでも有名である。

ヤラ・ルスリによるとハリー・ルスリの父は、息子ハリーが音楽の道に進むことに当初賛成しなかったようだ。姉たちは医学部を卒業し、医者として成功している。ハリーにも姉兄のように、機械工学をしっかり学び、エンジニア職に就いて欲しいという願いがあった。しかしハリー・ルスリは、機械工学に興味がなく、実質的に大学をドロップアウトした。ハリー・ルスリは、理系的な家系にそぐわず、むしろ文学者である祖父マラ・ルスリの血を引き継いだのだろう、文化表現の世界にみるみるのめり込んでいった。一九七〇年代の欧米で流行していたプログレッシブロックやサイケデリックフォーク、ジャズやブルースなどを好み、音楽家の道を志すようになった。

父の反対を押し切ってというわけではなく、母が息子ハリーの音楽活動に協力的だったこともあり、父のほうも、息子のやりたいことを認めた。ただし、学業だけはおろそかにしないこと、学問を忘れてはならないことが条件だったという。ハリー・ルスリはバンドン工科大学を一九七五年に卒業し、一九七七年までジャカルタ芸術大学で作曲を学び、一九八一年までオランダで音楽学を学んだ。父は、最終的に、息子ハリー・ルスリに楽器を買い与えていた。

ただでさえ大学進学率が低い時代に、バンドン工科大に五年通い、国立バンドン工科大よりも学費が高い私立ジャカルタ芸術大学にも二年間通い、さらにはオランダ留学を五年しながら、しかも四か月に一度にはバンドンに帰ってきていたというから驚きである。しかしだからこそ、ハリー・ルスリはオランダ留学中も楽曲をリリースすることができた。

ハリー・ルスリは、一九七〇年にバンドン工科大学に進学したのち、バンド「ハリー・ルスリ・ギャング」を結成する。作詞作曲活動を開始し、一九七三年、弱冠二二歳で、デビューアルバム『フィロソフィ・ギャング』を発表した。すべてオリジナル曲であり、そのなかのいくつかの楽曲は、一九歳頃から既に出来上がっていたという。同アルバムが与えた後世への影響は、音楽的評価だけではない。それと同等、あるいはそれ以上に重要なのは、ハリー・ルスリが死ぬまで表現し続けた批判精神が、このデビューアルバムにすでに宿っている点である。

3　ハリー・ルスリの政治

じつは、ハリー・ルスリは数回ほど来日している。そしてそのうち一回は、新聞記事にもなっている。一九九四年『毎日新聞』に〔雑記帳〕として掲載された小さな記事である〔毎日新聞　一九九四〕。

「インドネシアへの原発輸出はやめて」と同国の人気歌手、ハリー・ルスリーさん（四二）が十日夜、東京都内でミニコンサートを開いた＝写真。

市民団体「ストップ原発輸出キャンペーン」主催の集会にゲスト出演。日本の電力会社の子会社とインドネシア政府が契約し、ジャワ島中部で原発建設に関する事前調査が実施されたことから、「インドネシアの環境を守ろう」と立ち上がった。

「日本のみなさんと手を結び、原発に頼らず、自然と共存できる開発を」とルスリーさん。迫力あるのどを披露した。

環境保全NGO団体「インドネシア環境フォーラム（WALHI）」の代表として来日したハリー・ルスリは原発輸出反対を訴えたのだ。彼は自然や環境を破壊する開発政策に対してきわめて批判的であったが、その批判精神は、一九九〇年代の日本の原発輸出が契機ではなく、一九七〇年代のインドネシアの国内状況に由来する。

ハリー・ルスリは、インドネシア政治史のなかで、スカルノ時代、スハルト時代、民主主義時代の三つの時代を生きてきた。そのなかでも、スハルト時代（一九六七年〜一九九八年）は、ハリー・ルスリの高校時代から四〇代という彼個人の経歴のなかで最も重要な時期に重なる。

一九六七年、スハルト第二代大統領は、スカルノ初代大統領から実権を奪いとった。そのきっかけとなった一九六五年「九月三〇日事件」は、共産党シンパと見なされた何十万人もの人々が虐殺されたインドネシア最大の悲劇である。この事件の黒幕とされるスハルト将軍は、実質的にクーデタを起こしスカルノを失脚させ、大統領に就任し最高権力の座についた。「開発」の名の下に、一九七〇年代以降、経済成長によって政治的安定を図る権威主義体制を実現した。スハルト独裁の屋台骨として国軍が暴力によって国内治安を担い、反体制的な政治活動を抹殺し、民衆を徹底的に非政治化した。特に一九七〇年代末以降は、独裁政治に対する不満の高まりを抑え込むため、学生によるキャンパス内での政治活動を禁じた。音楽家たちの表現の自由も抑圧し、政治的なメッセージは禁じられた。特にスハルト個人に対する直接攻撃は御法度である。こうした権威主義体制のもとスハルト政権は、三二年間にも及ぶ長期独裁政治を敷いた。

このような抑圧的なスハルト開発独裁を批判したのがハリー・ルスリである。ハリー・ルスリの音楽を通した批判表現は、デビューアルバム『フィロソフィ・ギャング』から既に表れていた。ハリー・ルスリが高校時代（一九六〇年代後半）に影響を受けたボブ・ディランやブライアン・オーガーといったフォーク、ブルース、ジャズの要素がつまったロック作品として知られる（一九七一年サンプル版の原題は『ロックのなかの哲学（*Philosophy in Rock*）』）。同アルバムは、のちに発表される『発火点』、『ケン・アロック』と合わせて『ローリングストーン・インドネシア』の歴代ベストアルバムに選ばれており、二〇一七年に国内でアナログレコードが再発売された（日本版も同時発売）。この三大アルバムのなかで唯一、ハリー・ルスリ作曲で歴代ベスト曲に選ばれたのが、『フィロソフィ・ギャング』に収録された「マラリア（Malaria）」である。

バンドンの著名活動家・ラッパーのウチョックは、「インドネシア抵抗の歌一〇選」に、この「マラリア」を選出している［Herry Sutresna 2016: 54］。ウチョック自身、「じつはハリー・ルスリは熱心に聴いたことがない」と述べているにもかかわらず、この曲を選んでいることは興味深い。

多くのリスナーや評論家は、「孔雀犬（Peacock Dog）」をこのアルバムの中で最も政治的なプロテストソングだと言いたがるが、私が思うに、「マラリア」こそが至高だ。

「孔雀犬」について、音楽評論家のデニー・サクリはこう述べている［Denny Sakrie 2015: 57］。

ハリー・ルスリによると、この国（インドネシア）は、矛盾する二面性を持っている。つまり、人を虜にしてしまうほど魅力的な孔雀（*merak*）と、人を不快にさせ憤慨させる犬（*anjing*）である。

〝孔雀犬よ……あなたはどこに……？〟

図6　『フィロソフィ・ギャング』日本版

「孔雀犬」はインドネシアの「明＝孔雀」と「暗＝犬」を対比させている。「孔雀（*merak*）」に「心（*hati*）」を付け加えると、〝*merak hati*〟で「心惹かれる」「興味をそそる」といった意味も持つ。反対に「犬（*anjing*）」は、インドネシアでは汚い下劣な言葉の一種であり、かなりの侮蔑的表現である。ハリー・ルスリによれば、孔雀と犬という明暗両極端のものが矛盾しながら同居している国、それがインドネシアというわけである。

「孔雀犬」が英語で書かれているのに対し、「マラリア」はインドネシア語で書かれている。にもかかわらず、歌詞の内容は、「孔雀犬」より難解である。

君は一匹の猿なの？　ただ気取っているばかり
人生はもうからっぽ、君がおしゃべりでいるうちは
君の部屋の床が言う、お嬢さんはどうしてそう臆病なの
（日本版『フィロソフィ・ギャング』歌詞カードより。訳：武部洋子／ライター、翻訳者）

ウチョックは、この歌詞を引用し、「この歌詞が誰に向けて歌われているのかはっきりとはわからない」と述べている。この「君（*kau*）」は誰なのか。ウチョックは、この曲は「臆病な肝っ玉の小さい中間層」に向けたものだろうと推測している。インドネシアの中間層は、スハルト権威主義体制に脱政治化され、政府の意向を伺う日和見的な態度を取り、体制従順的ともいえるような政治的無関心層が多く、保守的だとも言われてきた。ウチョックはそんな彼らに対してハリー・ルスリが「君は猿か」と挑発し、不服従のメッセージを投げかけていると推察しているのである。

その翌年、一九七四年にはノンポリ大学生たちが立ち上がり、開発独裁に対して反対する運動を起こした。「マラリ事件」と言われる反日暴動である。スハルトは外資を積極的に導入することで経済成長を目指したが、実質のところ日系企業などはスハルトと癒着した華人政商と結びつき、汚職や縁故主義、富の不平等な分配と所得格差は広まり、民衆の不満は蓄積されていった。そこで大学生たちが開発独裁に対する不満を爆発させ、田中角栄元首相の訪問に合わせて日本車や日系企業の焼き討ちを行ったのである（この事件はスハルト政権内部の権力闘争の帰結とも言われる）。さらに、一九七七年から七八年にかけて、バンドン工科大学では学生運動が盛り上がり、選挙でのスハルト大統領の再選反対を訴え、エリート大学生が開発独裁を批判した。ハリー・ルスリもこの学生運動に間接的に参加し、

一時逮捕された。もちろん、「マラリア」が学生運動を促すサウンドトラックとなったわけではないが、一九七〇年代の時代精神を反映する象徴的な曲といえる。

個人的には、このアルバムが、インドネシア初のプロテスト作品だと思うのだが、音楽評論家たちの見解は異なる。彼らは、一九六七年に発表されたクス・ブルソダラ（Koes Bersaudara）の『罪人たち（To the So Called "the Guilties"）』を、国内初の「プロテスト」アルバムと評してきた。一九六五年、「インドネシアのビートルズ」とも言われる国民的バンド、クス・ブルソダラは、スカルノ初代大統領が禁じたビートルズの曲を公共の場で演奏し、牢獄に入れられた。スカルノはロックが嫌いだった。一九六〇年代前半、西洋ポピュラー文化が若者の間で流行していたが、反帝国主義を掲げるスカルノはそのような退廃的若者文化の蔓延に不満があった。特にエルヴィス・プレスリーやビートルズのようなロックンロールは文化帝国主義であり、スカルノは演説で「ガギゴ」と掻き鳴らす「耳障りな騒音」だとして排斥した。

確かに、クス・ブルソダラは、スカルノ政権に対する抗議の意味を込めて、ガレージロック・アルバム『罪人たち』を発表した。その意味で「プロテスト」作品であるが、彼らは、スカルノが実権を握る時代に堂々とスカルノ批判をしたのではなく、スハルト時代に変わってからスカルノを攻撃していたことに注意しなければならない。クス・ブルソダラはスハルト時代の幕開けとともに刑務所から釈放され、スカルノ時代に禁じられたロック音楽の演奏を再開した。これは、スカルノ政権に対するプロテストがスハルト政権になって初めて表明されたことを意味している［金　二〇一九］。ベトナム戦争真っ只中の冷戦期に、スカルノ政権によって冷え切った西側諸国との関係を改善しようとしたスハルト政権は、英語詞であろうがロックであろうが基本的に許容した。しかし、スハルト体制批判だけは許さなかった。クス・ブルソダラはスハルト時代にある意味で守られながらスカルノ批判を表現したのに対し、ハリー・ルスリは、スハルト時代にスハルト体制の不自由を批判したのである。かたや「スハルト時代のスカルノ批判」、かたや「スハルト時代のスハルト批判」、これは「プロテスト」の意味が決定的に異なる。ハリー・ルスリの方がよっぽど「命がけ」だったのである。

4　不自由（？）のなかの「抵抗」

スハルト体制期にハリー・ルスリが、政治批判を表現することができた理由としてまず考えられるのが、作品自体の影響力の相対的な低さである。『フィロソフィ・ギャング』は、当時国内でほとんど流通していなかった。一つはこのアルバムが、シンガポールのレーベルからリリースされたことだ。その経緯は未だに不明な点が多いのだが、ハリー・ルスリの人脈に、シンガポールの富豪との間接的な結びつきがあったといわれている。もうひとつは先述したように（婉曲的とはいえ）歌詞が政治的なためそもそも国内で流通することが困難だった（流通自粛していた）ことがある。加えて、同アルバムのジャケット・デザインをめぐり検閲当局と一悶着あった。おもて面には「シワくちゃで垂れ下がった老婆の乳」が、裏面には「勃起した男性器」が描かれていたため、わいせつであると咎められたといわれる［Denny Sakrie 2007: 143］。現在国内に二億人以上のイスラーム教徒人口を抱えるインドネシアでは、ポルノは厳しく取り締まられる（二〇〇八年に反ポルノ法が制定されている）。ハリー・ルスリはジャケット・デザインを通じてインドネシアの現状を批判した。権力者（男性）が自らの欲望のまま自然界（女性）を破壊していく様を、婉曲的に表現したのである。

いずれにせよ、インドネシア国内では、少なくともレコードを手にした人は少数である。アルバムは友人知人を通じた手渡しで「流通」したが、当時のオリジナル版を入手したものは、数十人程度であったと推察される。仮に多くの人がこの音源を持っていたとしたら、それは違法コピーされた海賊版カセットである。インドネシアで流通するカセットの九〇％以上は非正規の海賊版だと言われていた。

『フィロソフィ・ギャング』に限ったことではなく、ハリー・ルスリの作品はオリジナル版がほとんど手に入らない。近年、日本や欧米のレコードコレクターたちが、血眼になってハリー・ルスリのアナログレコードを探し回っているが、入手不可能ともいわれている。オークションでは、一枚五万円もの高値が付いている。特に、「歴代ベスト一五〇」に選ばれた三大アルバムは、大手レーベルから発表されたものではなく、インディペンデント制作・流通であったため、カセット版すら入手困難である。政治的な歌詞や、八分を超える長尺な曲は、国内の、ましてや大手レコード会社が取り扱うことは滅多にない。ラジオ局も流さない。ましてやテレビも。

国内で流通が少ないことに加えて、歌詞が難解であること、かつ「穏やか」であることが、政治批判の婉曲度を高めている。歌詞の難解さは共感を呼びにくく、理解するのに時間がかかる。また、プロテストと聞いて、拳を上げる激しいロックをイメージするかもしれないが、実はハリー・ルスリの音楽作品の大半はほとんど「ノれない」（カラオケ向きではない）。バラード調で美しい旋律が多く、「怒り」を呼び起こすような感じではなく、大衆扇動には不向きである。それはサウンドだけでなく歌詞も同様である。

> ハリー・ルスリは、スローガン的な言い回しを軽はずみに詰め込んだりしない。やさしくひそかに隠喩的表現を潜ませるのだ。（中略）
> 興味深いのは、ハリー・ルスリは怒りを、風刺の効いたコミカルな歌詞で表現することだ［Denny Sakrie 2007: 142］。

ハリー・ルスリの音楽作品は、正式には、つまり「公定のインドネシア音楽産業史」においては発禁処分になったことがない。しかし、路上やライブ、あるいは演劇の舞台で批判的メッセージを直接的に表現することで、命の危険を冒すのである。彼のパフォーマンスはしばしば禁じられた。ハリー・ルスリが逮捕される時、それは路上でのプロテストである。

ハリー・ルスリは、スハルト権威主義体制期には珍しいプロテスト・ミュージシャンであったといえる。インドネシアで出版された『レベル・ミュージック（抵抗の音楽）――二五人のプロテスト・ミュージシャン』には、海外の著名な音楽家（ボブ・ディラン、ボブ・マーリー、フランク・ザッパ、ジョン・レノン）に並び、ハリー・ルスリも紹介されている［Bio Pustaka 2008］。生涯一貫して、非商業的な作品をつくり続け、権力を批判し続けた彼のことを、自分の意思とスタイルを貫き通す「頑固な（*bengal*）」人物、「飾ることのない（*lugas*）」メッセージ性、と形容している。

図7　ドゥル・スンバン（左）

しかし、ハリー・ルスリは「売れなくても良い」という経済的余裕があった。音楽評論家レミ・シラド（Remy Sylado、後述）とハリー・ルスリを師と仰ぐ、ポップ歌手ドゥル・スンバン（Doel Sumbang）は、こう述べる。

> ハリー・ルスリは金持ちだ。だから売れる必要なんかなかった。
> 私はレミ・シラドとハリー・ルスリに一つだけ口すっぱく言われたことがある。「売れようとするな、とにかく曲をつくり続けろ。その結果売れたなら、それでいい。でもハナから売れるためだけに創作するな」と。

ハリー・ルスリの音楽は政治的でわかりにくい。売れる必要がないからだ。経済的余裕は、家庭環境が準備してくれている。ハリー・ルスリのバンド仲間であったハリ・ポチャンの話によると、広い実家の空きスペースを練習スタジオとして使うことも可能だったし、機材は揃っていたからジャカルタに行く必要はなかった。

父が高級陸軍将校であったことも、ハリー・ルスリの政治的活動にプラスであった。息子ヤラ・ルスリは面白いエピソードの一つとして話してくれた。

父（ハリー・ルスリ）が、スハルト体制に批判的な政治・社会活動を実行し、警察官に取り調べされ連行されそうになった時のことだ。警察官に、「おい、そんなとこで何してる、お前のお父さんは誰だ」と問われると、軍人の父親の名前を出す。すると警察官は、「もういい、わかった。帰れ」というだけで、見て見ぬ振りをしてくれた。

ハリー・ルスリは、父の特権を半ば利用するかたちで、反体制的な活動をすることができた。父親がある種「セキュリティ」の役割を果たしていたのである。

さらに興味深いエピソードがある。ハリー・ルスリの母いとこは、ハビビ元大統領である。ハビビは、バンドン工科大学に進学し、ドイツ留学から帰国後、スハルト大統領に招かれ技術担当の大統領顧問となった。その後、スハルト体制末期の一九九八年に副大統領を務め、スハルトが大統領を辞任した後、第三代大統領に昇任した。一九九〇年代当時は、インドネシアにおける原発開発に取り組み、日本政府と原発の輸出入について協議していた。一九九四年のこの日は、ハビビがちょうど原発輸出推進のインドネシア政府の要人として来日していた時だった。二人は偶然日本で会った。

ハビビ元大統領「おい、ハリーじゃないか。こんなところで何をしてる」
ハリー・ルスリ「ああ、ハビビおじさん」
ハビビ元大統領「帰国のチケットは取ったのか？　お金はあるのか？」
ハリー・ルスリ「いや、持ってない、おじさん」
ハビビ元大統領「じゃあ、これで早く帰りなさい」

ハリー・ルスリは、来日して「原発輸出反対！」と叫び歌い、ハビビは「原発輸出推進」担当として来日し、ハビビは、ハリー・ルスリに帰国のための航空券代をあげたわけだ。

ハリー・ルスリの父もハビビもいわばスハルト体制側の人間である。ハリー・ルスリの反体制的表現活動は、体制側の権力に依存することで可能となっていた部分が少なからずある。

ハリー・ルスリは恵まれている。だからこそ、彼は自由な表現を追求し続けることができた。だが、このような豊かな家庭環境と権力批判との矛盾に対して批判する声は少ない。その一因として音楽家が軍人の子息や政治家の親戚であるという点については、彼が必ずしも例外というわけではないという点があげられる。じつは、著名な社会派アーティストや一九七〇年代のロック・ミュージシャンたちの多くは父親が軍人である。後述するスカルノ大統領の息子も有名なミュージシャンである。ハリー・ルスリだけが特権的な立場にいたわけではない。

例外なのは、ハリー・ルスリが単にカネと権力に甘えていたのではなく、一九八〇年代以降、社会奉仕に生涯を捧げたことである。ハリー・ルスリの多面性が、彼自身に対する多様な評価軸をつくりあげているのだ。

5　路上の社会奉仕

欲張りさんは、ああ、貧しい。
貧乏人は、ああ、腐っている。
人権は、奪い取られ、安く売り飛ばされる。

ハリー・ルスリ「三つの旗（*Tiga Bendera*）」（一九七七年）

ヤラ・ルスリと会話していると、私たち二人の横を、「両手で歩く」男の人が通りすぎて行った。両足がない、障がいを抱えた人である。

ここは「ハリー・ルスリの音楽の家（Rumah Musik Harry Roesli）」。家の正面にでかでかと「ＲＭＨＲ」と赤い字で書かれており、すぐに目に止まる。ハリー・ルスリが実際に生まれ育った実家である。

ハリー・ルスリ家は、バンドン中心部のスプラットマン通りに位置する。スプラットマンとは、音楽家の名前であり、二〇世紀前半のジャズ奏者として知られ、のちにクロンチョン楽団の一員となり、インドネシア国歌「インドネシア・ラヤ」の作曲などを手がけた国家英雄である。

このあたりは、広い土地の一軒家や、日本料理屋などがあり、軍事地区としても知られる。「ハリー・ルスリの音楽の家」の目の前のスプラットマン通りを挟んだ向こう側には、「プセニフ」という陸軍基地がある。ここの軍用地は二〇〇〇年代半ば以降、バンドンで最も頻繁に音楽公演が開催される会場として利用されている。スプラットマン通りから少し南西に行くと、リアウ通りやアチェ通りなど、インドネシア国内の各州の名前が通りの名として付けられている。そしてこの州の通り名のあたりが、いわゆる軍事エリアである。シリワンギ師団（西ジャワ軍管区）

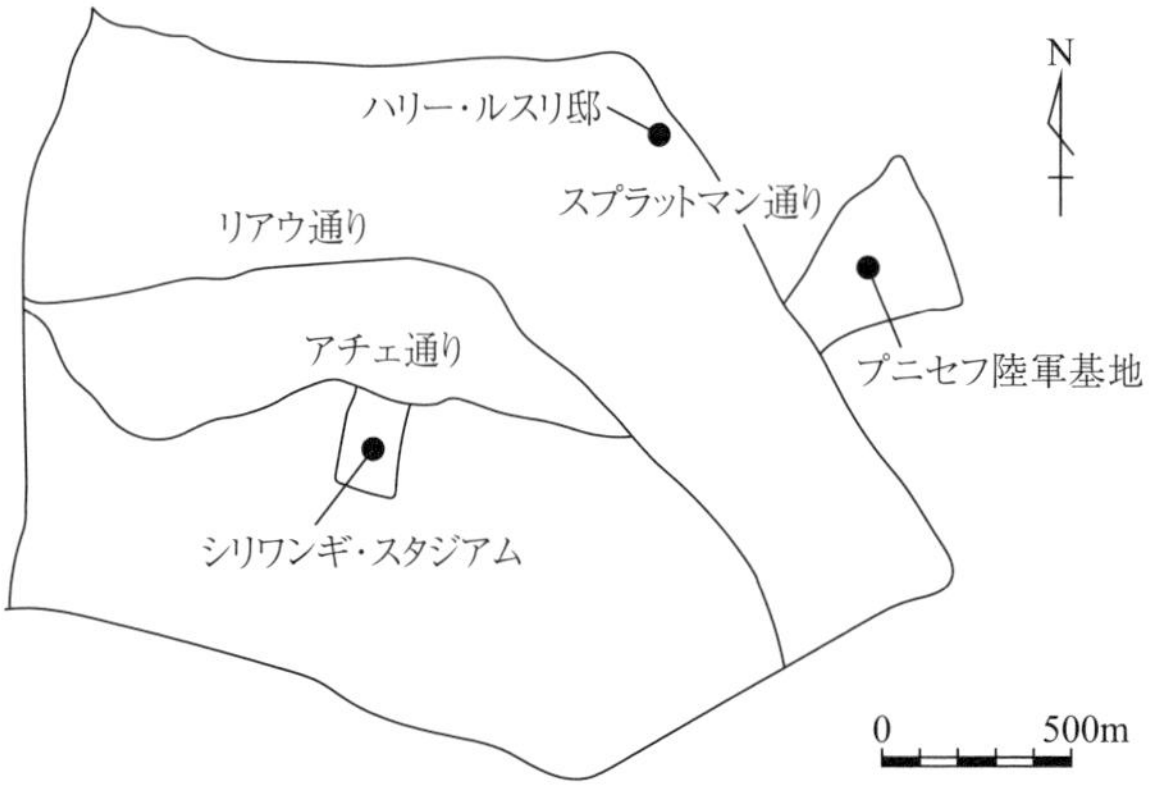

図8　バンドン市内軍事エリア

が所有する「シリワンギ・スタジアム」がアチェ通り沿いにある。かつてイギリスのロックバンド、ユーライア・ヒープが一九八四年のインドネシア公演の際にライブを行った場所でもある。

村井吉敬はこのような軍事都市バンドンを生み出した地政学的事由に言及している［村井　一九八三：三九］。オランダ植民地時代、周囲を山に囲まれたバンドンは、首都ジャカルタを後背から防衛する天然の要塞ともいうべき場所であった。オランダはバンドンのこのような自然地理的条件を利用し、軍事中枢をバンドンに置いた。陸軍省はバンドンを本拠とし、軍需工場も東ジャワ州スラバヤから西ジャワ州バンドンに移転してきた。一九四二年に日本軍がジャワ島に侵入すると、オランダ軍最高司令部もバンドンに本拠を移した。

独立戦争を戦った退役軍人たちは、オランダ人が住んでいたバンドンの一軒家に住み始めた。ハリー・ルスリ一家も、この軍事エリアにある広い一軒家に住んでいた。かつてオランダ人エリートが住んでいた立派な邸宅である。ここが、ハリー・ルスリが生涯住み続けた家であり、音楽活動の拠点であり、社会活動、教育活動のための場となった。

「ハリー・ルスリの音楽の家」が生まれた背景は、ハリー・ルスリのオランダ留学にさかのぼる。彼は、一九七七年にオランダ政府から奨学金を得て、ロッテルダム音楽院に留学し、音楽心理学を学んだ。オランダ留学中も現地のインドネシア料理店などで様々な音楽家とライブ演奏をしていたという。

一九八一年に帰国したハリー・ルスリは、単なる音楽家ではなく、教育者、社会活動家として表現の場を広げていった。オランダ留学で身につけた学問的な音楽学の知見を、バンドン教育大学やパスンダン大学などの正規授業で大学生たちに教えた。一九八〇年代当時、音楽を正規授業に組み込んだ大学は少なかった。音楽学の素養を持つ学者がいなかったからである。欧米の音楽理論を学んだ学者、ハリー・ルスリの存在は、当時かなり稀有な存在であった。

しかし、ハリー・ルスリはエリート大学の教員として権勢を誇示することはせず、むしろ、キャンパス外の路上での社会活動に表現の軸足を置いていた。一九八一年に、自宅の一室をスタジオ（*sanggar*）として貸し出し、そこを「バンドン芸術創作場（Depot Kreasi Seni Bandung）」とした。メンバーは芸術家や演劇家が中心となったが、文化エリートだけでなく、「プガメン（*pengamen*）」と呼ばれる流しの路上ミュージシャンなどとともにハリー・ルスリ主導のパフォーマンスを演奏した。エレキギターにキーボード、スンダ地方のガムランやアンクルン（竹製打楽器）、スマトラ地方の太鼓ゴンダンなどを組み合わせる一九七〇年代の前衛スタイルをより進化させ、ステージには、ペットボトルや空き缶、紙くず、ペン、粗大ごみ、ガラクタなどを楽器として配置し、より実験的な音楽実践へと向かっていった。ハリー・ルスリは大概の楽器は演奏できたし、大概のものを楽器にすることができた。一九八〇年代以降は、レコーディング以上に、即興的なステージ・パフォーマンスに力を入れた。ハリー・ルスリの表現はますます理解不能な世界へと聴衆を誘うようになった。

一九八〇年代末にスタジオとしての「バンドン芸術創作場」の活動がいったん落ち着き始めると、次は一九九六年に音楽教室「ハリー・ルスリの音楽の家」を設立。そこでは街にあふれるストリート・チルドレンや、道端で物乞いをする身体的障がい者を家に招きいれ、食事や教育、楽器演奏など、最低限の健康的で文化的な生活を送れるための環境づくりを行った。特に、一九九七年アジア通貨危機はインドネシア経済に大打撃を与え、弱者はその影響をもろに受けた。街中には職を失い、生活の場を失った「小さな民」があふれた。ハリー・ルスリ自ら路上を歩き、貧困ゆえに犯罪やドラッグに手を染める孤児を受け入れた。これまで受け入れてきた路上の子供たちは、合計数百人に達すると言われる。保守的イスラーム教徒の中には同性愛者や婚前交渉に否定的なものもいるなか、ハリー・ルスリは「ワリア（*waria*）」など性的少数者にも寛容である。コンドーム着用を奨励する啓蒙活動もした。

ハリー・ルスリが教えているようなエリート大学に通うことができない低所得の若者たちに、音楽のプライベート・レッスンをほとんどタダ同然で行った。フォーマルな教育現場（おそらくそれは生活費に回る）とインフォーマルな教育現場を巧みに使い分けつつ、すべてを社会的な奉仕に従事するための表現の糧とした。

このハリー・ルスリの社会奉仕活動を、いま、妻カニアと双子の息子（ヤラとハミ）が受け継いでいる。

ハリー・ルスリとともに一九九八年の民主化運動に関わった芸術家・社会活動家のラフマット・ジャバリルに会うと、彼はハリー・ルスリの人格をこう評価した。

ハリー兄さんは、誰とでも等しく付き合った。路上の少年から活動家、官僚や大統領まで、社会の最下層から最上層まで、みなすべて平等に多くの人と親しく付き合った。

「バンドン芸術創作場」には様々な階層・出自の人々が訪れ、ハリー・ルスリと交流した。ハリー・ルスリは老若男女分け隔てなく接した。一九九八年民主化運動の際、彼は連日路上に繰り出し、デモの最前線に立ち、芸術家や学生たちと反スハルト体制の抗議活動を行い、路上で二四時間パフォーマンスをしたりした。一方、自宅は、女性、特に母親（主婦）たちの活動場所となった。通貨危機によって高騰した乳幼児の粉ミルクを、中間層女性たちからの寄付によって低所得層の母親たちにシェアする慈善団体「支援する母親の声（*Suara Ibu Peduli*）」の運動が首都ジャカルタから盛り上がったが、バンドンではハリー・ルスリの家が、その集会拠点となった[Bio Pustaka 2008: 43]。ハリー・ルスリは、日常的に裕福な母親から低賃金労働の母親まで様々な階層の女性たちと平等に交流をしていたからこそ、幅広い人々からの信頼を集めることとなった。

四　真面目に生きる、不真面目に表現する

ハリー・ルスリは、その異才ぶりが強調される一方で、他の音楽家たちと同じ枠組みに入れられることがある。例えば、一九七〇年代の不良ロッカーたちの一員として、あるいは、アメリカの鬼才音楽家の「インドネシア版」として、あるいは、前衛的現代音楽家たちのなかの一人として、特定のカテゴリーに収められる。しかし、重要なのは違いである。もちろん、どんな芸術家・表現者も際立つ個性こそ重要である。他の音楽家たちとの違い方にこそ、ハリー・ルスリの人物像と表現世界を際立たせるに足る独自性がみえるのである。

1　ロックスターにはならない

多くのインドネシア音楽関係者との会話の中で、ハリー・ルスリを形容する言葉として頻出したのは「ナカール(*nakal*)」である。「不品行」や「不良」を意味する言葉である。これは、一九七〇年代の若者の生態を指し示す言葉として用いられた。例えば、ハリー・ルスリと同年代に活躍したロックスターたちのなかには、ドラッグ中毒の問題児や女性交友が盛んな者が多くいた。ハリー・ルスリの師レミ・シラドの問題曲・詩「オレクサス(OREXAS)」(一九七八年)は、七〇年代当時の時代風景を活写している。「フリーセックス同盟(*Organisasi Sex Bebas*)」の略語で、バンドンを中心とする不良たちの対抗文化実践を表現している。

ぼくらの街には、オレクサスという名の対抗的（*mbeling*）な若者集団がいる
若者たちは自分たちの親世代に対抗する。親は偽善者だと
父は息子に大麻を吸うことを禁じる
若者たちはナイトクラブで酔っ払っているだけなのに
母は娘がセックスを知ることは禁句だと言った
若者たちが狂ったように遊んでいるあいだに

「対抗（*mbeling*）とは不品行（ナカール、*nakal*）だ」。そうレミ・シラドは言う。旧態依然とした権威主義的な親世代に対するカウンターカルチャーとして、大麻、ナイトクラブ、アルコール、そしてセックスが、西洋かぶれの若者たちの生態として問題視された。ノーパンの若い女性たちが「ＡＣＤ（アンチ下着：*Anti Celana Dalam*）」を掲げバンドン市街の中心部を闊歩した。

一方、ハリー・ルスリは私生活においては極めて真面目だった。同世代のロックスターたちとは交流をしていたものの、「セックス・ドラッグ・ロックンロール」の世界とはあまり付き合わなかった。お酒もあまり飲まない。女性関係も真面目で、妻カニアと生涯を共にした。ハリー・ルスリは「不良」ではなかった。

では、なぜ彼は「不良」と形容されるのか。それは、彼の音楽表現の世界観に表れる。

「インドネシアのフランク・ザッパ」。ハリー・ルスリを形容する際にしばしば使われる表現である。フランク・ザッ

パは、アメリカで一九六〇年代以降活躍した「鬼才」音楽家である。ハリー・ルスリ同様、ロックを基調としつつ、ジャズなど一見ちぐはぐな領域の音楽を相互参照し、それらを全て融合させる。歌詞も、政治的なものが多く、社会風刺に富んでいる。ビートルズを小馬鹿にしたりと音楽業界を挑発し、商業主義的な音楽産業を否定する。孤高の存在であり、周囲から理解されにくい頑固者である。こういった表現者としての毅然とした振る舞いと不真面目さを兼ね備えている点は、ハリー・ルスリと多くの共通点がある。事実、ハリー・ルスリはフランク・ザッパから影響を受けている。

念のため断っておくと、私は非西洋圏の音楽家を、西洋圏の音楽家に安易に例えるのは避けたいと思っている。西洋（上から）目線で、非西洋圏の音楽家を「西洋の二番煎じ」のように扱うからである。これは、西洋を「中心」とし、インドネシアなど非西洋圏を「辺境」とみなす西洋中心主義的な見方である。いずれにせよ、親世代から「逸脱者」としてのレッテル貼りをされた典型的なロックスター像からも逸脱し、つねに主流を拒み、不真面目に表現し続けたハリー・ルスリは、まさに「不良」の体現者であった。

そんなハリー・ルスリに最も類似した音楽家として挙げられ、伝説とも言われて神格化される男がいる。フランク・ザッパではない。インドネシア初代大統領スカルノの息子、グル・スカルノプトラである。

図9　レミ・シラド（右）

2　ハリー・ルスリとスカルノの息子

「音楽の家」の息子ヤラとの会話のなかで、彼は父ハリー・ルスリの音楽観について語った。ヤラによると、ハリー・ルスリは、一九七〇年代ポップの名曲「赤道のエメラルド（Zamrud Khatulistiwa）」を嫌ったという。一九七六年に発表された曲で、ちょうどハリー・ルスリの『発火点』が世に出た年である。

ぼくは幸せだ。赤道で、豊かな暮らしを送れて
赤道に、いつも光り輝く。素晴らしく美しい自然
安心安全のこの国で、いつの時代も豊かで平和に
祝いましょう共に。感謝しよう、私たちみんな。一つになる、私たちみんな

「赤道」はインドネシアを表している。一般に、緑に輝く熱帯雨林の島々が赤道に沿って東西約五一〇〇キロメートルも連なる巨大島嶼国インドネシアを、「赤道にかけられたエメラルドの首飾り」と表現したりする。この曲は、祖国の美しさや素晴らしさへ捧げるインドネシア讃歌となっている。

ハリー・ルスリからすれば、インドネシアのどこに安心や安全があろうか。自然は開発によって破壊されている。軍の暴力が人権を抑圧する国が豊かで平和なわけがない。この曲が発表された一九七六年は、開発による社会格差が都市で顕在化し始めた時期である。豊かな暮らしを享受できるのは一部の富裕層だけで、それをのんきに「ぼくは幸せだ」と歌う楽観的なメッセージを、ハリーは嫌った（もちろん、ハリー・ルスリこそが「一部の富裕層」なのだが）。

ハリー・ルスリの言葉を借りれば、同曲は「孔雀」の面を美化した音楽であった、その裏側にある「犬」の面を描いていないということなのだろう。貧困、環境破壊、汚職、腐敗、社会格差、犯罪、暴力、こういったスハルト体制の「開発」に隠蔽された問題を表現することが音楽家ハリー・ルスリの使命であった。

ハリー・ルスリが嫌いな「赤道のエメラルド」だが、私はこの曲が大好きである。インドネシアの歴代ポップソ

ングベスト二〇を選ぶなら必ずランクインするだろう。愉快なサウンドで軽快なテンポから助走をつけて、第一声で急に「ぼくは幸せだ（*Aku bahagia*）」と華麗な声で歌い上げる。前奏からAメロの始まりまでのたった三〇秒間で、最高の曲だと思った。初めて聴いた時、すぐに気に入ったと同時に、「眩しい、まぶしすぎる」とも思った。いきなりの「アイムハッピー」には、驚いた。なんとなく、時代錯誤な感じがした。

この曲を作曲したのは、スカルノの息子グル・スカルノプトラ（Guruh Soekarno Putra）である（「プトラ」は息子の意味）。私は、グル・スカルノプトラを一度見たくて、少し高い参加費を支払って、バンドンからジャカルタへ行き、「アーキペラゴ・フェスティバル」という音楽イベントに参加した。このイベントでは色んな音楽関係者が登壇するのだが、初開催となった二〇一七年の主役として招待されたのは、グル・スカルノプトラである。

図10　グル（左から2番目）

グルが舞台上に現れる前、メイン会場はすでに異様な空気に包まれていた。トークショーは各会場同時進行で行われており、参加者はそれぞれの会場に話を聞きに行っていたのだが、グルの時だけは、そのメイン会場に多くの人が集まり満席となり、たくさんの立ち見客もグルの登場を待ちわびた。私は一番前に座り、いつもどおりフィールドノートを用意した。すると『ローリングストーン・インドネシア』の元編集者が司会を務め、登壇者を招き入れた。グルが出てきた。参加者は拍手で出迎えると思いきや、会場に「生唾を飲み込む」音が聞こえた。圧倒的なオーラである。私はグル・スカルノプトラ以上のオーラを身にまとった人をこれまで見たことがない。特に派手な身なりをしているわけではないのだが、とにかく「やばい」とは思った。ものすごいオーラを放っていたことに気をとられ、メモを取る気にもならず、ただグルを眺めていた。

少し話がそれた。ここで述べたいのは、ハリーとグルの対比である。グル・スカルノプトラは、一九五三年ジャカルタ生まれ。スカルノとファトマワティ夫人の間に生まれた。五人きょうだいの末っ子で、姉は第五代大統領メガワティ・スカルノプトゥリである。ハリー・ルスリと同様、一九五〇年代前半に生まれた末っ子のお坊っちゃんが、一九七〇年代に音楽の道に進んだことは、奇遇で面白い。一人は大統領の息子、一人は陸軍将校の息子、二人とも金持ち家庭ですくすく育ち、一九七〇年代にオランダの大学に留学している（グルはアムステルダム大学考古学部留学）。経歴は似ているが、ハリーの妻カニアによると、二人はほとんど面識がないという。

音楽的にはどうか。二人とも一九七〇年代のロック黄金時代に青春を迎え、音楽活動を本格化させていった。今、両者は「前衛的」「実験的」といった形容句とともに伝説の音楽家として一部の若者からは神格化されている。両者ともに「インドネシア音楽賞」の特別賞を受賞しており、ハリー・ルスリは「レジェンド賞」、グルは偉大なる作詞作曲家として「功労賞」（二〇一〇年）を受賞している。

一九七六年は、インドネシア大衆音楽史における一つの転換期であった。一九七六年にハリー・ルスリが『発火点』をリリースしたまったく同じ時期に、グルがロックバンド「グル・ギプシー（Guruh Gipsy）」を結成し、アルバム『グル・ギプシー』を発表している。両アルバムともインドネシア音楽史に残る傑作として知られているのだが、興味深いのは、二作品とも伝統音楽ガムランと欧米プログレッシブロックの融合であること、そして、インディペンデント制作・流通であることだ。

富裕家庭の末っ子が、一九六〇年代後半から一九七〇年代前半にかけてロックに目覚め、一九七〇年代後半に、伝統音楽とを組み合わせている。もちろん、当時は二枚とも全く売れていない。全国流通もしておらず、オリジナル版はせいぜい数十枚程度である。

ハリー・ルスリとグル・スカルノプトラは、このように生育環境や音楽経歴も非常に似ていながら、その違いが面白い。

グル・ギプシーは「真面目（*serius*）」だが、ハリー・ルスリはむしろその逆を選んだ。

音楽評論家のデニー・サクリはこう述べる［Denny Sakrie 2015: 56］。ハリー・ルスリの何が「逆」なのかはよく分からないが、おそらくは両者の性格や表現の違いに言及したかったのだろう。特にハリー・ルスリは「いたずら好き」として知られ、あらゆる音楽表現に奇妙さや笑い、思わぬハプニング、奇想天外な曲構成を行い聴き手を魅せる。そういった意外性や聴衆に対する「欺き」が、「真面目」とは程遠い選択をしたことと重なる。

ハリー・ルスリの音楽には、しばしば笑い声が聴こえる。『ケン・アロック』には「ハッハハハハ、イーッヒッヒヒヒヒヒ」という人を馬鹿にしたような笑い声が耳に残る。『フィロソフィ・ギャング』の「孔雀犬」は、最後に「イイイイイイ」というハリー・ルスリの不気味な笑い声で締めくくる。これは嘲笑ではない。ハリー・ルスリにとって「笑い飛ばす」ということは、「既存の思考、特定の概念や芸術作品の構造を解体するための手段であった。行動、仕事から自身の作品にいたるまで、なんでも笑い飛ばして『妨害』する」（ハリーの盟友ヘリ・ディムによる日本版『フィロソフィ・ギャング』解説文より）。ハリー・ルスリの妻カニアは「ハリーは警察官に連行されて、家に帰ってきた時、いつも笑っていた」と話す。

図 11　「ケン・アロック」公演

ハリー・ルスリはいつもの悪ふざけのように見せかけて、権力者も自分自身も笑い飛ばす。この「怒り」と「笑い」の絶妙な塩梅は、彼が師と仰ぐレミ・シラドの「対抗（*mbeling*）」に通ずるものがある。大人たち（親世代という権威〉の偽善をあざ笑う若者の反骨精神である。学生運動に参加する「熱い」一面を持ち、「怒り」を直接的に露わにする一方で、音楽表現では「笑い」とユーモアを交えながら異世界をつくりあげる。

普段から冗談好きであっただけでなく、録音やステージの中でも、冗談を飛ばす。眉間にシワを寄せて説教じみた政治批判をすることはない。ヤラは一度、父ハリーの公演を見たとき、自分を始め、すべての観客ががっかりしたことを話す。

バンドンのコンサートホールでのことなんだけど。その日、父は大所帯バンドを組んで、舞台上にはガムラン奏者を始めドラム、ベース、ギターなどの演者一〇人以上がずらりと並んで待機していた。でもそこに父の姿はなかった。そしたら舞台袖から父が指揮棒だけを持って登場し、中央まで歩いてきた。それで、腕を上げ、勢いよく下に下ろした瞬間、「ジャン!」という大きな楽器音が会場に響いた。すると幕が閉まったんだ。その日この会場で、鳴り響いた音はそのたった一音だけだった。最初で最後の音だった。父が勢いよく腕を振り下ろした後、すみやかに幕は閉じた。公演終了。父は観客の期待を欺き、がっかりさせたんだ。

ハリー・ルスリは自分の表現の意図をまったく説明しない。音楽評論家のスカ・ハルジャナはこう評論する［Suka Hardjana 2004: 269］。

我々〔聴衆〕はハリー・ルスリのパフォーマンスを正確には理解していない。我々が理解していることは、ハリー・ルスリがある特定の文脈に縛られることを拒否する創造的芸術家であるということだ。

3　反骨のなかの愛国

私は、ハリー・ルスリが愛国の芸術家であったことを確信している。ハリー・ルスリは、言うならば真のナショナリスト（*nasiondlis sejati*）だ。これは誇張じゃない（デニー・サクリ［Dennysakrie 2012］）。

グルとハリーのもう一つ重要な共通点と相違点がある。両者はれっきとした「ナショナリスト」である。ただし、その表現世界は異なる。「ナショナリスト」とはこの場合「愛国者」と言い換えても良い。

意外にもハリー・ルスリは、バンドンをテーマとする楽曲をあまり作ったことがない。私に雷を落とした『発火点』の一曲目「スカル・ジュプン（Sekar Jepun）」の原曲は、バリの伝統音楽である。インドネシアのナショナリズムや地方の伝統文化を作品の題材とする傾向にある。ではハリー・ルスリとグル・スカルノはいかにして「愛国」を表現したか。グルの楽曲は祖国インドネシアを讃え褒めそやす（「孔雀」）ものがもっぱらである。一方で、ハリー・ルスリは、インドネシアの「犬」の側面を徹底的に問題化しつつも、祖国愛を感じさせる表現が多い。お互い、インドネシアを愛する気持ちは同じだが、ハリー・ルスリがグルの「赤道のエメラルド」を嫌悪したように、祖国を過度に美化した表現に対しては、極めて批判的である。ハリー・ルスリは祖国を愛するがゆえに批判する。

特に『LTO』はハリー・ルスリの批判精神と愛国精神を同居させたアルバムとして評価される。ハリー・ルスリの盟友として知られる画家のヘリ・ディムによると、「LTO」とは「五年間の抵抗（*Lima Tahun Oposisi*）」のことである。この「五年間」と「抵抗」には諸説あるが、ヘリ・ディムによると、『LTO』は、「五カ年開発計画」に対する批判の隠喩であるという。スハルト体制は、経済成長を実現するため一九六九年から「五か年開発計画」を発表した。一九七四年「第二次五か年開発計画」は、村落部など経済成長の遅れた地域の開発を行い、公正を実現

図12　ヘリ・ディム（左）

することを目指した。しかし、ハリー・ルスリは、公正な開発を掲げることによって覆い隠される暴力を描く。『LTO』の「ナリダエック（*Nallidaek*）」は、貧しい村の子供たちが、村の主人に踏み潰され、沈黙を強いられることを歌ったものだ。

〝村の子どもは話すことを恐れる〟

〝*Nallidaek*〟の文字を反転させると〝*keadilan*〟、すなわち「公正」「正義」である。綴りの反転が意味の倒錯を生み、「不公正」「不正義」という造語（「*Nallidaek*」）をタイトルに掲げ、不正を暴く。開発によって虐げられる声なき貧者の声を巧妙に表現するのである。力なき小さき民は、声を発することを抑え付けられ、黙殺される。だがその曲調は、「怒り」の歌詞からは想像もつかないほどメロディアスで美しい。

『LTO』は、このような政治批判の一方で、祖国愛を表現する。

泣かないで、インドネシア
悲しまないで、インドネシア
私たちが、祖国を守る

バラードソング「泣かないでインドネシア（*Jangan Menangis Indonesia*）」は、こんな（哀れな）国を嘆き、私たちが守ることを強く訴える。さらに、一九八四年楽曲「私は君を愛してる（*Aku Cinta Kau*）」では「インドネシアの大地が踏みにじられている」と嘆き「私はインドネシアのことを愛している」と祖国愛をより直接的に表現している。

ハリー・ルスリを知る人たちのなかで、彼が真の愛国者であったことを否定する人はいない。息子ヤラも「父は愛国者だ」と認める。「ただし、いわゆる愛国主義者ではない」とも付け加えた。つまり、無批判な祖国賛美とは異なる「愛国」を表現する。

たとえば二〇〇一年、八月一七日の独立記念日に、ハリー・ルスリはインドネシアの国民的義務歌「ガルーダ・パンチャシラ」の替え歌を無許可で歌い逮捕されている。原曲の歌詞は、「ガルーダ・パンチャシラ、僕こそが君の支持者だ」と始まり国威発揚を全面的にあらわしているが、ハリー・ルスリはこれを「ガルーダ・パンチャシラ、僕は君を支えることにもう、うんざりだ」と替え、続けてこう歌った。

愛国者はもういない　独立宣言以来、いつも君の犠牲になってきた
パンチャシラ？　その根拠は何？
民衆が公平に裕福になる？　それはいつ？
僕の国は、進まない、進まない、進まない

「パンチャシラ」はインドネシアの国是となっている建国五原則（唯一神への信仰、公平で文化的な人道主義、インドネシアの統一、協議と代議制において英知によって導かれる民主主義、インドネシア全人民に対する社会正義）を表す。スハルト権威主義体制は、一九八〇年代、すべての大衆団体がパンチャシラを唯一の国家イデオロギーとして受け入れることを強制的に義務付けた。パンチャシラ国家原則による上からの思想の一元化を図ったのである。ハリー・ルスリはこの概念の「根拠は何？」と問うのである。しかも、あえて国民的義務歌の替え歌を利用して、である。

日本で愛国ソングが歌われれば、すぐに賛否両論が巻き起こるが、インドネシアの人気歌手が愛国歌を歌うことは、あまりにも普通である。むしろ、愛国ソングは、売れる。しかし、ハリー・ルスリは金稼ぎのためにバラード調の愛国ソングを作ったわけではない。実際、まったくヒットしていない。

一般的な愛国ソングとの違いは、やはり「孔雀犬」のような表現世界である。陰と陽の矛盾をそのまま描き出している。ハリー・ルスリは一貫してインドネシアに対する悲観（涙）と楽観（愛）を同居させているのだ。

ハリー・ルスリは祖国に誇りを持たず、インドネシア国家に対して奉仕する気はない。奉仕するのは、民衆のための社会のみである。

五　「民衆」との向き合い方

1　ダンドゥット嫌い

ハリー・ルスリは、古今東西の多様な音楽や楽器を取り入れるスタイルを確立したと言われる。活動当初は、「ロッカー（rocker）」としてひとくくりにされたが、その他称は通用しなくなった。一つのジャンルに絞らないからだ。

一般的にインドネシアでは、あらゆる音楽が外から柔軟に受容され、土着の文化と混ざり合って「独自の」音楽が生まれる。こういった言われかたは非常に多く、「雑種」音楽や「ハイブリッド」音楽と形容され、国内でも「インドネシア文化は〝ガドガド〟（ごちゃ混ぜ）だ」と言われたりもする。ハリー・ルスリはその象徴的な人物であろう。

画家ヘリ・ディムは、「彼ほど幅広く音楽性を追求したインドネシアの音楽家は誰一人としていない。（中略）ポピュラー音楽からコンテンポラリー音楽に至るまで彼ほど縦横無尽に音楽の冒険をしたものはいないと証明できる」とハリー・ルスリの音楽性の幅広さを絶賛している〔日本版『フィロソフィ・ギャング』解説文より〕。

しかし、私は、ヘリ・ディムが描くこのような肯定的な「ハリー・ルスリ像」に対して少し異議がある。ハリー・ルスリのように高度な異種混淆性を表現する人物であっても、受容するどころか排斥する文化が見られるからだ。大衆音楽ダンドゥットである。

父はどんな音楽でも聴いていたし、演奏に取り入れていた。
ただし、ダンドゥットは嫌いだった。

息子ヤラ・ルスリは少し笑いながらそう話した。ダンドゥットは、インド映画やアラブ音楽、マレー音楽にロックなど西洋音楽を融合したインドネシア独自の音楽ジャンルとされる。およそ一九七〇年代頃に人気を博し、現在まで全国の一般庶民から圧倒的な支持を得る国民的音楽である。ダンドゥットを支持する層は、比較的教育水準の低い低所得労働者だと言われ、「庶民の音楽」として大衆的な人気を獲得していった。ヤラによると、上流家庭で生まれ育ったハリー・ルスリにとって、ダンドゥットのような音楽は肌に合わなかったという。

この価値観はハリー・ルスリに限ったことではない。インドネシア音楽界における内部分裂（単純化して言えば西洋志向と土着志向の対立）は、とくに一九七〇年代に顕著であった。ちょうどスハルト体制期に入り西洋音楽が急速に流入した時代に、英米圏の「本場」のロックやポップに憧憬の念を抱く若者たちにとっては、ダンドゥットは「ダサい」音楽だった。村井吉敬が言うようなエリート大学の若者たちは、「庶民の音楽」に対して侮蔑的な態度を取っていた。

ハリー・ルスリが活躍した一九七〇年代に、同世代のロック愛好家たちは、ダンドゥットを「田舎者（*kampungan*）」などと呼び、その価値を否定していった。七〇年代当時に活躍したバンドンのロックスターは、ダンドゥットを「犬の糞」とまで侮蔑した。ハリー・ルスリの「孔雀犬」で述べたように、「犬」はインドネシアで最低級の侮蔑単語であり、それの「糞」だというのだから、これはかなりきつい差別表現である。この問題発言をきっかけに「ロック対ダンドゥット」論争が勃発したりしたりもした。

ハリー・ルスリ自身は表立って侮蔑発言をしていたわけではないが、ダンドゥットに対して否定的であったことは、彼の周囲の環境からもうかがえる。私は、ハリー・ルスリをよく知る人々に必ずダンドゥットに対する評価を聞いた。盟友ヘリ・ディムも、バンド仲間だったハリ・ポチャンも「ダンドゥットは嫌い」と口を揃えて言う。二人とも、ダンドゥットは金儲けの音楽だとか、大衆迎合的な音楽だとかいった理由を挙げる。実際、選挙キャンペーンでは、幅広く分厚い支持基盤を持つダンドゥット歌手は、選挙集会の際に動員され、政治利用される。ダンドゥット専門のテレビ番組もあり、田舎の貧乏人がダンドゥット・スターに成り上がる成功物語を提供する。

ハリー・ルスリのダンドゥット嫌いは、自身が師と仰ぐレミ・シラドの影響も考えられる。レミ・シラドは、一九七〇年から七五年まで、バンドンのロック系音楽雑誌『アクトゥイル』の編集者を務めた辛口文芸批評家である。レミ・シラドは、雑誌『アクトゥイル』の編集方針としてダンドゥットを排除し（ダンドゥット・ネタを掲載しない）、ロック＝本場至上主義的な言説を生んだ張本人である。レミ・シラドに尋ねると、今でも「ダンドゥットは嫌いだ。なんとなく嗜好に合わない」という。

ハリー・ルスリ論を書いた研究者アダム・タイソンは、「ハリー・ルスリはダンドゥットファンだった」と根拠は不明だが、さらりと記述している［Tyson 2011: 31］。しかし、ハリー・ルスリのダンドゥットに対する否定的見解は、彼自身の言葉にも婉曲的に表れている。

ハリー・ルスリの死後に出版された『ファンキー共和国——ハリー・ルスリ・コラム集』には、彼がダンドゥットを揶揄したコラムが掲載されている。選挙で大衆動員力（集票力）の高いダンドゥットが為政者に都合よく利用される一方、「民衆（*rakyat*）」は輝かしい民主主義の祭典の背後で置いてけぼりにされるさまを批判している［Harry Roesli 2005: 180-183］。別のコラムでは、「ジャズをテレビ放送してはいけない。なぜなら、テレビにとって高い格付けに位置するのはダンドゥットだから。テレビにとってジャズは悪で、ダンドゥットは善だ。これは商業的なものさしに基づく判断である。テレビとは産業だ！」［Harry Roesli 2005: 198］と、ダンドゥットの政治的価値だけでなく商業的価値の優位性を痛烈に皮肉っている。ジャズの音楽的価値と商品的価値の格差を取り上げ、テレビという巨大産業のなかでダンドゥットはもてはやされ（ハリーが好む）ジャズは周縁化される。こういった二項対立的な図式を描く。

ハリー・ルスリはもしかしたらダンドゥットの音楽的価値そのものは否定していないかもしれない。アダム・タイソンの言う通り、「ダンドゥットのファン」だったかもしれない。ダンドゥットそのものではなく、ダンドゥット歌手の商業主義・体制順応的な態度や、その政治利用に対して批判していたとも考えられる。そうであるとしても、ありとあらゆる音楽を柔軟に取り入れてきたハリー・ルスリが、なぜダンドゥットを一度も取り入れなかったのか。それは作曲上の問題か、それとも価値観上の問題か。いずれにしろハリー・ルスリが限界を抱えていたことは確かである。

しかし、余談になるが、私は動画サイト YouTube で、ハリー・ルスリと「ダンドゥットの王」として知られる人気歌手ロマ・イラマがテレビの音楽番組で共演しているのを見て驚いた。二人は全くと言ってよいほど接点がなかったはずだ。おそらくこの映像が初の共演である。ロマ・イラマの「中傷の嵐（Badai Fitnah）」をハリー・ルスリと一緒にテレビで演奏しているではないか。ロマ・イラマが歌を歌い、ハリー・ルスリはパーカッションをしている。よく見ると、前奏でハリー・ルスリがパーカッションを叩き終え、ロマ・イラマの演奏や歌が始まると、どこかへ消えてしまう。間奏になると再び姿を現し、座り込んでつまらなさそうにしている。ロマ・イラマの熱演越しに映る退屈そうなハリー・ルスリという構図がなんとも奇妙であった。この不可解な共演についてヤラに尋ねてみた。

ハッハハハハ。YouTubeにアップされているやつだね。共演経緯は定かではないけれど、おそらく少なくとも父（ハリー・ルスリ）がテレビ側からの依頼を仕事として受けるかたちで実現したことは確かだよ。

あれには裏話があってね。ロマ・イラマとのリハーサルの時だよ。父は、リハの時、ワルン（屋台）でテイクアウトしたご飯とおかずを袋に詰めたまま舞台上で食べ始めたんだ。これを見て、あのロマ・イラマがかなり動揺したらしい。そりゃそうだ、訳がわからないだろ？　ロマ・イラマは戸惑いつつも、「食べ物なら後で番組側が出してくれるみたいだぞ」と父に言ったんだ。けど、父は「ああ、わかってる」と特に意に介さず、黙々とご飯を食べ続けた。ロマ・イラマは「あ、そう」とそれ以上何も言わなかったらしい。

これは、前述したハリー・ルスリ特有の冗談や「悪ふざけ」である。と言いたいところだが、ただの「食いしん坊」とも言えそうである。

2　〈エリートと民衆〉の脱構築

ダンドゥットは「田舎者の音楽」から「庶民の音楽」そして「国民音楽」へと昇華していった。一九八〇年代から現在に至るまでインドネシア全土にダンドゥット支持者がいる。ハリー・ルスリが大事に扱う「庶民」や「民衆」はダンドゥットを享受する。ハリー・ルスリの音楽はむしろ、「庶民」や「民衆」からは遠くかけ離れた難解で理解不能なものだろう。あるリスナーは、一九七〇年代当時の音楽環境について「ハリー・ルスリを理解できない者、彼の音楽を聴いたことのない若者は、田舎者扱いされた」と語った。

ハリー・ルスリは、自らの出自と家庭環境、そして音楽的嗜好に拘束され、ダンドゥットから距離をとればとるほど、「庶民」の感覚から遠ざかっていくようにみえる。

しかし、見方を変えれば、ハリー・ルスリは音楽表現においては一切の妥協をしない、「頑固な」人物であったとも言える。ハリー・ルスリの死後、パスンダン大学で音楽を教えるブディ・ダルトンは、中学時代に「バンドン芸術創作場」の一員となりハリー・ルスリと交流を深めた人物である。彼は、ハリー・ルスリには四つの人間的多面性があるという。音楽家、社会活動家、教育者・学者、そして最後に、政治運動家である。ハリーはこういった自らの多面的役割をうまく使い分けていたのかもしれない。そしてそれらは、必ずしも全てが個別に分化して存在するのではなく、互いに不可分の関係性を持っていたと考えられる。その原点が、音楽である。

父（ハリー・ルスリ）は、何かと肩書きが多い。音楽家、演劇家、活動家、学者、などなど。でも、父は「音楽家は、音楽家だ」と自分が音楽家であること、それ以外の肩書きではなく、単なる音楽家であることを自負していた。

息子のヤラ・ルスリはそう語る。ハリー・ルスリの表現活動の始まりは音楽である。音楽活動を高校時代にはじめ、その後、演劇、学問、社会活動に表現の幅を広げていった。

ここで再び、あの不可解な歌「マラリア」に戻ろう。

ハリー・ルスリの「マラリア」に出てくる「君」が誰なのか。ラッパーのウチョックは、「はっきりとはわからない」が中間層を指し、「君は猿か」と批判していると解釈した。しかし、音楽評論家のデニー・サクリは、自身のブログでウチョックとは異なる解釈をしている。曲の最後を締めくくるこの有名な歌詞が重要である。

そうやって生き続けるといいさ、マラリア蚊のように
マラリア蚊のように

デニー・サクリは、「ハリーにとって、小さき民（*rakyat kecil*）は、単なる一匹の蚊じゃない」とし、一匹の蚊は蚊でも、「その蚊はマラリアだ。マラリアは、ウイルスとなって感染し死をもたらす」と述べる［Dennysakrie 2010］。つまり、デニー・サクリの解釈では、ここの「君」は「（エリート）中間層」ではなく、「小さき民」なのである。ハリー・ルスリはこの弱者の武器にスポットライトを当てている。

小さな虫は、ひと噛みで一瞬にして死をもたらす。人間の血を吸い、病理を蔓延させ死をもたらすには十分だ。機知に富んだ隠喩である［Denny Sakrie 2007: 142］。

ウチョックもデニー・サクリも、インドネシア音楽評論界ではかなり信頼の置かれている二人である。その両者が、この歌詞のまさに「哲学的（フィロソフィカル）な」詩世界に当惑しつつ、異なる見解を下していることは、面白い。ハリー・ルスリの表現作品は、多様な解釈が可能である。そして、もっと重要なのは、表現者ハリー・ルスリはそれをまったく説明しないということだ。ハリー・ルスリの音楽哲学を理解しようとすることは、非常に困難である。バンドメンバーだったハリ・ポチャンも「ハリー・ルスリの発想は狂っている（*gila*）」と言う。ハリー・ルスリ本人以外、彼が言いたいこと、やりたいことの真意を、他のバンドメンバーは理解できなかったようだ。

「小さき民」はこの歌詞を理解できないだろう。デニー・サクリ自身も「素人には理解するのが難しい」と認めている［Denny Sakrie 2007: 142］。しかし、この想定ももしかしたらハリー・ルスリの中では、それこそ小さき民を「蚊」としてしかみなしていない愚人の思い込みかもしれない。あるいは、小さき民にこの歌詞を理解してもらおうということ自体が的外れな見解かもしれない。

ただ、ここでウチョックとデニー・サクリの解釈が異なると仮に想定したとして、「エリート中間層」と「小さき民」は、同じ「民衆」としてみなすことも可能である。ハリー・ルスリの目に映るのは、権力に対して物言わず、ただ部屋の中の寝床で悲しんで泣いている小さき民と、猿のように気取っておしゃべりして、何も考えていない臆病者のエリート中間層がいる。そんなかれらに対して、「そうやって生き続けるといいさ」と、やや突き放したような言い方をしつつ、最後に「マラリア蚊のように」と、「君」のなかの〝マラリア〟に呼びかけるのである。ハリー・ルスリからすれば、身近なノンポリ大学生も、その日暮らしの貧乏人も、その区別は関係ない。

ハリー・ルスリにとって音楽とは何か。音楽は、単にスターを生み出す手段ではない。

（音楽は、）より良い方向に変化を導くためのものでもあるのだ。なに、そんなのユートピアだと？　放っておけ！

［Harry Roesli 2005: 175］

六　死に方、行く末

1　黒くぬれ！――ハリー・ルスリの「遺書」

ある日、ヘリ・ディムはローリング・ストーンズをＢＧＭに流しながら年季の入った家の庭で絵を描いていた。

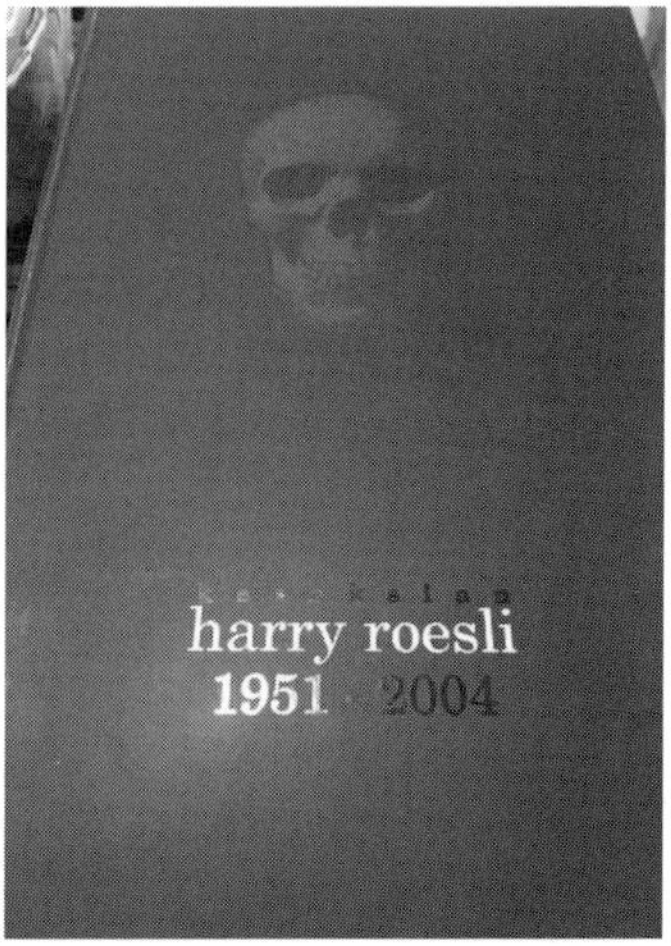

図 13　黒い本

私はヘリ・ディムに早速、例の「黒い本」を見せてくれないかとお願いした。「黒い本」とは、『ハリー・ルスリの証言（一九五一—二〇〇四）』と題する分厚い本である［Harry Roesli 2004］。ハリー・ルスリがこの世を去る一年前（二〇〇三年）に、ハリー・ルスリ自身がヘリ・ディムに依頼して作った本である。

私は分厚い本が出したい。少なくとも二〇〇ページはあって、序文やはしがき以外は空白の本を。

ハリー・ルスリの発言を聞いて戸惑ったヘリ・ディムは、「どういうこと?」と聞くと、「君が書くんだよ」と答えた。ヘリ・ディムらハリー・ルスリの友人たちは本の製作を始めた。サンプルを見たハリー・ルスリは、「全部黒にしよう」と、表紙を真っ黒にした。しかし、印刷前にこの世を去った。ヘリ・ディムは当時の心境について、「『果たして自分に書けるのだろうか?』という疑問が常に浮かんでいた」と述懐している。ハリー・ルスリは普段冗談ばかり言っているのに、この時だけはかなり真剣な言い方だったという。しかし、そのあまりにも多面性に満ちたハリー・ルスリの人生を想うと、書くことができなかったようだ［日本版『フィロソフィ・ギャング』解説文より］。

ヘリ・ディムは「ちょっとここで待ってて」と、私を置いて部屋の奥の方に例の本を探しに行った。しばらくすると帰ってきて、本を渡してくれた。表紙が真っ黒なので埃っぽさが目立つものの、箱に丁寧に保管され、真新しい。本を開くと、表紙の黒とは対照的に、中は真っ白である。全部で三二二頁もの分厚い本だが、序文以外何も書かれていない。

見開き一頁目に「この本は一〇〇冊限定である」と注意書きがあり、その下に妻カニアと双子の息子ヤラとハミ、ヘリ・ディムらハリー・ルスリの友人たち（芸術家、作家、演劇家、ジャーナリスト）のサインがある。

序文のページをめくり、中身を見ると、一応の章が設けられていることに気づく。「証言一　一九五一―一九六一」（一二頁〜）、「証言二　一九六一―一九七一」（六七頁〜）、「証言三　一九七一―一九八一」（一三一頁〜）、「証言四　一九八一―一九九一」（一九五頁〜）、「証言五　一九九一―二〇〇四」（二五九〜三二一頁）。一九五一年から二〇〇四年までのハリー・ルスリの人物史を時代／章ごとに区分している。しかし、各章すべて、空白である。ここに、〝ハリー・ルスリ以外の人々〟が「証言」を書き込んでいく。

序文に書かれたヤラの次の回想録が印象的である。ヤラは父が亡くなる一か月前にこの本を渡され、動揺した。何も書いてないからだ。そこで父ハリー・ルスリは「とりあえずもらっておきなさい。空白ページはヤラの日記でも書いて埋めていったらいいよ」とだけ言った。数日後、「白」に気をとられていたヤラはふと、表紙の「黒」に違和感を覚えた。

図14　空白のページ

> どうして真っ黒なのか。私はなぜか悼む気持ちになった。そこに、頭蓋骨があるから。

ヤラには真っ黒な表紙から浮かび上がる頭蓋骨が、墓標にみえた。この考えたくもないヤラの疑問（いやな予感）は、一か月もしないうちに父の死によって答えられたのである。

ハリー・ルスリは「ハリー・ルスリ」を説明しない。「一〇〇冊限定」で配られれば、各々が、各々の「証言」を書き、各時代の空白を埋めていくことになる。そうすれば、一〇〇人が一〇〇通りの「ハリー・ルスリ像」を語るのである。証言しないのは、ハリー・ルスリ本人だけである。

表面の「黒」と、中の「白」の対称性にたいするハリー・ルスリのこだわりは、「孔雀犬」を作曲した二〇歳頃から一貫している。ハリー・ルスリは様々な矛盾を表現してきた。それはインドネシアという国が抱える矛盾と、そして、もちろん、ハリー・ルスリ自身が抱える矛盾を。

もちろん、ハリー・ルスリの意図は理解できない。それはこの本に限らない。「マラリア」の意図は、『発火点』の意図は、何がマラリアで何が発火点なのか、「君」が誰なのか、ハリー・ルスリは、まったく説明しない。「君」がはっきりと姿をあらわすのは「インドネシア」のときだけである。

〝私はインドネシアのことを愛しているから!〟

(一九八四年「私は君を愛してる」)

2　ハリー・ルスリの現在地

ハリー・ルスリの死後、彼の音楽作品は、ますます手に入らない状態となった。しかし、二〇一〇年代以降、ハリー・ルスリの「幻」の作品群が再発売されるようになった。その再発売の担い手となったのは、バンドンの若者たちである。「ハリー・ルスリを知らない世代」がハリー・ルスリを再評価し始めている。

二〇一七年一〇月二九日、私は、「トリビュート・ハリー・ルスリ」イベントに参加した。「トリビュート」とつくぐらいだから、次世代の若手ミュージシャンが、ハリー・ルスリの名曲をカバーするものだろう、という私の期待は(良い意味で)裏切られた。

イベントの会場は、バンドン北部の富裕層が住む地区にある「ブミ・サンクリアン（Bumi Sangkuriang）」である。訪れると、その広大な敷地と、豪華な建築物に圧倒された。ここは、オランダ植民地時代に、オランダ人の社交場として建てられた。その名残として、「ホテル・コンコルディア」という名前の超高級ホテル（一泊一万円以上！）がある。オランダ植民地時代は、「コンコルディア」というオランダ名称が使われていたが、一九五八年に、スカルノの反植民地主義政策による西洋由来言語のインドネシア語化政策の一環で、「ブミ・サンクリアン（サンクリアンの大地）」となった（「サンクリアン」はスンダ民話のひとつ）。

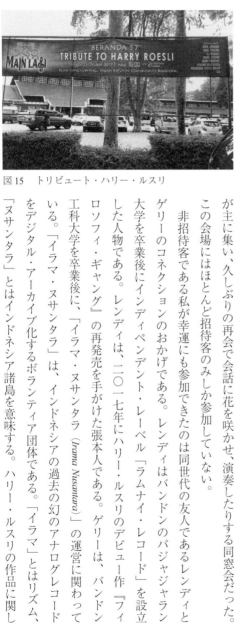

この高級感あふれる場所で、ハリー・ルスリのトリビュート・イベントがあることに少し違和感があった。じつはこのイベントは同窓生によるパーティーであった。高校時代のハリー・ルスリの同級生たち（一九六九年卒業生）が主に集い、久しぶりの再会で会話に花を咲かせ、演奏したりする同窓会だった。この会場にはほとんど招待客のみしか参加していない。

図15　トリビュート・ハリー・ルスリ

非招待客である私が幸運にも参加できたのは同世代の友人であるレンディとゲリーのコネクションのおかげである。レンディはバンドンのパジャジャラン大学を卒業後にインディペンデント・レーベル「ラムナイ・レコード」を設立した人物である。レンディは、二〇一七年にハリー・ルスリのデビュー作『フィロソフィ・ギャング』の再発売を手がけた張本人である。ゲリーは、バンドン工科大学を卒業後に、「イラマ・ヌサンタラ（*Irama Nusantara*）」の運営に関わっている。「イラマ・ヌサンタラ」は、インドネシアの過去の幻のアナログレコードをデジタル・アーカイブ化するボランティア団体である。「イラマ」とはリズム、「ヌサンタラ」とはインドネシア諸島を意味する。ハリー・ルスリの作品に関しては、『フィロソフィ・ギャング』と『カリスマ2』をデジタル・アーカイブ化している。ゲリーは現在、ハリー・ルスリのドキュメンタリー映画の作成プロジェクトに関わっている。

まず、彼らの功績を讃えたい。それは、インドネシア音楽の国産化である。これまでインドネシア音楽は、国内でのアーカイブ状況が極めて悪く、過去の音源が宝の持ち腐れ状態になっていた。そこで欧米のアジア音楽マニアたちが、インドネシアの古臭い音楽を収集して、海外のレーベルから再発売していた。これの逆をレンディたちはやってのけた。まだ正規アルバムとして発売されていないハリー・ルスリの音楽を、海外の手に渡る前に自分たちのレーベルから再発行したのである。国内の過去の音源を、国内のレーベルが再発売すること、これはインドネシアにおいて極めて画期的であることを伝えておく。

レンディは、再発売プロジェクトにあたり、すでにハリー・ルスリ家との交渉を密に行っていたため、今回のトリビュート・イベントへの参加に際しても、個人的なコネクションで招待されたようだ。私はそのコネにあやかり、参加させてもらった。レンディ、ゲリー、私の三人は、「ハリー・ルスリを知らない世代」であり、ハリー・ルスリの死後に彼の熱狂的ファンとなっている。

三人で、イベントを見ていると、何やらつまらなさそうにしていたレンディが不吉な笑みを浮かべた。

どうだキム。違うだろ?(笑)

何が「違う」か、すぐに理解できた。「私たちが求めているものとは違う」ということだ。「バンドン芸術創作場」に関わりのある旧くからの友人知人たちのみ、一九六〇年代末から一九八〇年代にハリー・ルスリの家をたまり場にして遊んでいた人たちだけの集まりである。演奏していた曲は、ハリー・ルスリが一九七〇年代にステージ場で頻繁に演奏したものではない。ハリー・ルスリ支持者たちの間では、彼の作品の中でも評価の低い楽曲である。ハリー・ルスリとゆかりのあるジャズ歌手や活動家、俳優が舞台で高校時代の思い出話や、「バンドン芸術創作場」でのエピソード、あるいは息子ヤラやハミ、ハリ・ポチャンらによる演奏が披露されたのだが、ほとんどが、高齢者の内輪受けの内容と盛り上がりだった。未来への社会的還元を目的とはしていないのである。

レンディとゲリーがハリー・ルスリを再評価している背景には、インドネシア人の手で、インドネシアの今の若者たちに、ハリー・ルスリの音楽的素晴らしさを知ってもらいたいという願いがある。その熱意が彼らから伝わってきた。特に初期の作品（『フィロソフィ・ギャング』、『発火点』、『ケン・アロック』）には思い入れが深い。だからなおさらこのイベントがハリー・ルスリの後期作品を演奏しているのはやや退屈なのである。そしてそれ以上に、このイベントからは、「インドネシアの今の若者たち」に知ってもらいたいという社会的意義が見えにくい。レンディは、「僕ならこれとはもっと違うハリー・ルスリ・トリビュート・イベントを企画する」と言った。

私たちは、会場内の閉鎖的な盛り上がりをよそに、演奏もろくに見ずに外に出てタバコを吸いに行った。次はゲリーが試すように「キム、どう思う?」と聞いてきた。私は「これがハリー・ルスリの一つの側面だ。ハリー・ルスリの多面的な人物像を考えると、ある意味では想定の範囲内かも」と正直に答えた。レンディとゲリーは「そうだ」と確認するかのように小声でうなずいた。ハリー・ルスリの人間的多面性のほんの一部分にすぎないのである。それは、三人とも理解していた。

イベントが終わり、息子ヤラが少し人目を気にしながら私たち三人のところにきた。彼は、「まあ実はこのイベントはちょっと違うというか、本意ではないんだけどね、僕にとっても父にとっても」という。おそらく、私たちに気をつかっての発言であろうが、ヤラとしてもできれば路上の若者たちにも父の存在を知ってもらいたい。父もそれを望んでいるはずだという。

図16 『ケン・アロック』再発売イベント

この場所に集まったのは、ハリー・ルスリの同級生（そのほとんどが中上層）である。それは仕方がないことである。ハリー・ルスリは高級施設「ブミ・サンクリアン」に〝入れない〟路上の孤児から、「ブミ・サンクリアン」に〝入れる〟エリートまで、すべての人々と付き合ってきた。だから、ハリー・ルスリの友人が全て招待されているわけではない。私はゲリーに「どうしてヘリ・ディムおじさんは来てない？」と聞くと、ゲリーは「これは実質クローズドだ。招待客以外は、三〇〇〇円払わなければならないことになってる。ヘリ・ディムおじさんは金持ちってわけじゃないだろ？　ここに参加することはちょっと難しいよ」と言う。

私は、レンディとゲリーの熱意を理解できる。レンディは、このイベントの時すでに、ハリー・ルスリ再発売企画第二段として『ケン・アロック』のアナログレコード・CD発売、並びに記念Tシャツの作成を企てていた。二〇一八年の『ケン・アロック』再発売記念イベントは「ハリー・ルスリの音楽の家」でこじんまりと開催され、古いインドネシア音楽好きの若者も集まるオープンな場となった。

この光景を眺めながら、ふと、ブミ・サンクリアンでの（対照的な）出来事を思い出した。そういえば私は、あの時レンディとゲリーにもう一つ付け加えて言いたかったことがあった。「これ（ややネガティブともいえる側面）も含めて、ハリー・ルスリの人間的魅力である。だから面白い」と。でも私がそれを言わなかったのは、同世代の「ハリー・ルスリ狂」の彼らなら、そんなことをわざわざ口に出さずとも分かっているという信頼があったからだ。

発火点への追憶

二〇一七年、ハリー・ルスリが「インドネシア音楽賞」のレジェンド部門を受賞した日、ハリー・ルスリの代理でトロフィーを受けたのは、二人の息子だった。テレビに映る舞台上の息子ヤラは、トロフィーを持ち、マイクに向かって一言短く感謝の意を述べた。

父が亡くなる五分前のことです。父はあるお願いをしました。
「お願いがある。私の作業机の電気を消さないでくれ」
幸運なことに、私は今夜、父にその答えを伝えることができます。
お父さん、大丈夫、心配しないで。今ここに、大勢の人たち、たくさんの光が、お父さんの机を今も照らし続けてくれています。

ハリー・ルスリは死ぬ間際まで、いやその死後も、表現しつづけることを諦めなかった。まだまだ表現しきれない「狂った（*gila*）」アイデアが、彼の中にあったはずである。その表現世界のほんのわずかなひとかけらを、本書は描いてきたにすぎない。

ハリー・ルスリは私にとって「厄介者」であった。私は彼について、これまで自分の論文で書いたことが一度もない。インドネシア大衆音楽史について論じた時も、バンドンの音楽シーンについて論じた時も、ハリー・ルスリについて分析することを無意識のうちに避けていた。むしろハリー・ルスリという人物の「学術的意義」を批判的にみていたかもしれない。そう、書いたことがないのではない。書けなかったのだ。ハリー・ルスリという存在は私の分析意欲を常に破壊してきた。

単純化して言えば、ポピュラー音楽研究における単一ジャンル論（ロック史の独立性）や個人音楽家論（カリスマ的アーティストの特権化）、カルチュラル・スタディーズにおける文化＝政治（抵抗実践の意義）を私は批判してきた。つまり、ハリー・ルスリを「ロッカー」とだけみなし、「一九七〇年代のインドネシア・ロック史」のなかに押し込めてしまうことは、そこからこぼれ落ちる彼の社会的役割を捨象してしまう。ハリー・ルスリを「孤高のプロテスト・シンガー」や「社会派アーティスト」と呼び、彼の反権力闘争を能動的に読み込み神格化してしまうことは、ハリー・ルスリが内包するさまざまな矛盾を不可視化してしまう。ハリー・ルスリの存在価値を過剰評価してしまうことは、「学術的に」問題があると思っていた。

では、学術論文においてハリー・ルスリのような逸脱事例を〝脚注〟に落とし込むことで失ったものは何か。多様性である。論旨の一貫性を強固にすればするほど、ストーリーは単純化され、逸脱は例外へと無意識のうちに追いやられ、そして、多様性は画一化されていった。

金さんの論文から抜け落ちてしまった人は誰ですか？

学会でこの質問を受けるたびに、私の脳裏にはいつもハリー・ルスリが浮かんでいた。インドネシアのポピュラー音楽の担い手の多くは、エリートである。ハリー・ルスリは、エリート中のエリートである。それは社会的な出自においても、文化的な教養においても、紛れもない超エリートである。しかし、それは一九七〇年代に村井吉敬が批判的に描いたエリート像とはやや異なる。

ハリー・ルスリは「民衆（*rakyat*）」の力を信じる。しかし、周縁化される小さな民の声を代弁する大衆迎合家ではない。民衆のための音楽であるダンドゥットを取り入れることは、上流階層という出自がその可能性を閉ざし、またポップ・ソングを作ってみても、オランダ留学仕込みの高度な音楽実践理論が邪魔して民衆に届かない。ハリー・ルスリの表現世界は無限ではなく、限界を抱えていた。自らの出自と実践とのギャップは、ハリー・ルスリを路上での表現活動に向かわせる。社会的弱者への奉仕に、私生活を犠牲にし、それに人生をかけ、表現してゆく。

ハリー・ルスリは限界と同時に矛盾を抱えていた。スハルト権威主義体制に初めて抗議した音楽家は、命がけのリスクをとる覚悟を決めたと同時に、自らが安全地帯にいることを自覚していた。だからこそ、その表現は時に屈折していた。その屈折は愛国心に表れた。自らの矛盾する人格を、インドネシアと重ね合わせ、「祖国愛」として表現していた。自身の願望を、極めて歪んだカタチで祖国に投影していた。

図 17 『発火点』再発売レコード

この原稿の執筆中（二〇二〇年三月）に『発火点』のアナログレコードがインドネシア国内で再発売され、日本版もリリースされた。今、私の手元に『発火点』がある。あくまで偶然にすぎないが、私が大学院に進学した時にハリー・ルスリの『発火点』に出会い、卒業と共に『発火点』が再発売されたことに、感慨深さを覚えずにはいられない。

ハリー・ルスリの火はこれからも消えることはないだろう。

そして、ハリー・ルスリの机を照らし続けるだろう。

私が、守る。

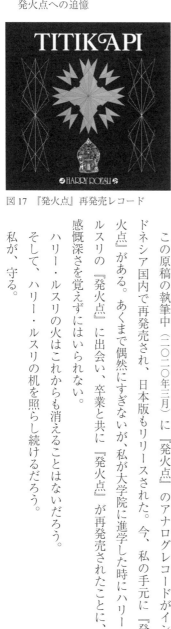

参考文献

アンダーソン、ベネディクト、加藤剛・訳

二〇〇九　『ヤシガラ椀の外へ』、東京：ＮＴＴ出版。

Bio Pustaka

2008　*Rebel Music: 25 Musisi Pemberontak.* Jakarta: Bio Pustaka.

Denny Sakrie (ed.)

2007　*Musisiku.* Jakarta: Penerbit Republika.

Dennysakrie

2010　https://dennysakrie63.wordpress.com/2010/09/27/harry-roesli-dan-negeri-peacock-dog/（二〇二〇年二月二七日アクセス）。

2012　https://dennysakrie63.wordpress.com/2012/12/11/2752/（二〇二〇年二月二七日アクセス）。

Denny Sakrie

2015　*100 Tahun Musik Indonesia.* Jakarta: Gagas Media.

Harry Roesli

2004　*Kesaksian.* Bandung: Harry Roesli Foundation.

2005　*Republik funky: asal-usul Harry Roesli.* Jakarta: Penerbit Buku Kompas.

Herry Sutresna

2016　*Setelah Boombox Usai Menyalak.* Jakarta: Elevation Books.

金悠進

二〇一七　「『創造都市』の創造――バンドンにおける若者の文化実践とアウトサイダーの台頭」『東南アジア研究』五五巻一号、七一―一〇二頁。

二〇一九　「『連帯』の光と影――第三世界都市バンドンにおける植民地主義とその脱却」『年報カルチュラル・スタディーズ』第七号、四七―七一頁。

毎日新聞

一九九四　「『原発輸出はやめて』とインドネシアの歌手・ルスリーさんミニコンサート」一九九四年六月一一日、東京朝刊、三一頁掲載。

村井吉敬

一九七八　『スンダ生活誌――変動のインドネシア社会』東京：ＮＨＫブックス。

一九七九　「開発戦略の転換とインドネシア社会」増田与・後藤乾一・村井吉敬編『現代インドネシアの社会と文化』東京：現代アジア出版会、一七三―二六三頁。

一九八三　「バンドン――西ジャワ・プリアンガンの町の生成と発展」『東南アジア研究』、二一巻一号、二九―四六頁。

一九八八　『エビと日本人』東京：岩波書店。

二〇一四　『インドネシア・スンダ世界に暮らす』東京：岩波書店。

酒井隆史

二〇一一　『通天閣――新・日本資本主義発達史』東京：青土社。

篠崎弘

一九八八　『カセット・ショップへ行けば、アジアが見えてくる――Pops in Asia』東京：朝日新聞社。

Suka Hardjana

2004　*Musik Antara Kritik dan Apresiasi*. Jakarta: Penerbit Buku Kompas.

Tyson, Adam

2011　Titik Api: Harry Roesli, Music, and Politics in Bandung, Indonesia. *Indonesia* 91 (April), 1-34.

ハリー・ルスリ関連年表

年	ハリー・ルスリ個人史	関連インドネシア史
1951	誕生	
1965		9.30 事件 → スカルノ初代大統領失脚 → スハルト権威主義体制発足
1970	バンドン工科大学機械工学 → 実質ドロップアウト	外資の積極的受け入れ → 経済的不平等への不満
1973	『フィロソフィ・ギャング』発表 → 史上初のプロテストソング、非公式発禁	
1974		反日暴動（マラリ事件） 第 2 次 5 か年開発計画
1975	劇団「ケン・アロック」公演 ジャカルタ芸術大学編入 → 作曲学ぶ	
1976	『発火点』発売	
1977	ロッテルダム音楽院修士・博士課程留学 『ケン・アロック』、『カリスマ 1』発売	バンドン工科大を中心に学生蜂起
1978	『三つの旗』、『五年間の抵抗（LTO）』、『カリスマ 2』発売	学生運動鎮圧 大学生の政治活動禁止令
1979	『暗い街（Kota Gelap）』	
1980	妻カニアと結婚（28 歳）	
1981	完全帰国（留学中も四か月に一度帰国） 「バンドン芸術創作所（DKSB）」設立	
1982	双子の息子誕生	
1984	バンドン教育大学講師、パスンダン大学講師 「私は君を愛してる」発表	パンチャシラ唯一原則による思想統制
1989	『チャス、チス、チュス（Cas Cis Cus）』発売	
1994	来日「原発輸出反対キャンペーン」参加	
1996	「ハリー・ルスリの音楽の家」設立	
1997	『かわい子ちゃん（Si Cantik）』発売	アジア通貨危機
1998	反スハルト民主化運動参加	スハルト体制崩壊、民主化 ハビビ大統領就任
2001	「ガルーダ・パンチャシラ」替え歌 → 逮捕	
2004	死去（53 歳）	
2017	「インドネシア音楽賞」レジェンド部門受賞 『フィロソフィ・ギャング』国内・日本版再発売	
2018	『ケン・アロック』国内再発売	
2020	『発火点』国内・日本版再発売	

あとがき

言い訳をお許し願いたい。

自分のことは、たった一文で表現できる。サッカー少年が、パンクロックに目覚め、インドネシア研究を志す。これで十分だ。だが、ハリー・ルスリのように多面的な人物を表現することは容易ではない。どんな音楽かも説明できない。言葉では「音」は流れてこない。現地の言語を学び、現地の音楽を聴いても、それを文章にすれば、音はかき消される。その限界を知りつつ、どうにかして表現したいと思う。そんな内面の葛藤とたたかいながら、本書を執筆した。何かを表現するということは、何かを捨てる覚悟を決めることである。

なぜ他の地域を研究するのか。それは私にとって「人」である。私はハリー・ルスリの「音」を伝えることはできないが、「人」を知ることで、インドネシア研究の面白さに気づく人が一人でも増えればと思い筆をとった。その「人」が面白いと思えば、その音楽や地域を知りたいと思うかもしれない。

幸運にも、調査に際しては多くの方にお世話になった。デザイナーの泉本俊介さんはハリー・ルスリの魅力を誰よりも伝えてくれた。シュンさんとのハリー・ルスリ談義はいつも白熱し、私は帰り道いつも興奮していた。本書に掲載するための貴重な写真データも提供していただいた。Terima kasih。調査地バンドンでは、パスンダン大学のジャエ先生にお世話になった。ハリー・ルスリの家に初めて連れて行ってもらった。私のバンドン論、インドネシア音楽論に付き合っていただいた。Hatur nuhun。そして、インドネシアに行きたくないといつも駄々をこねる三男坊の末っ子を、日本からやさしく見守ってくれた家族に、感謝いたします。

ハリー・ルスリについては執筆当初、数ページ程度しか書く予定ではなかった。しかし、風響社での執筆打ち合わせに参加された方々に私の熱い（暑苦しい）思いを素直にぶつけてみた。すると皆さんから、「ハリー・ルスリ一本で書いてみたら？」と背中を押していただいた。うれしかった。そして石井社長からのさらなる叱咤激励に私の執筆意欲はますますかき立てられた。また、調査に際しては、旧松下幸之助記念財団からの助成を受けた。記して御礼申し上げます。

最後に、「私」と「インドネシア」を（かろうじて）つなげてくれた故・ハリー・ルスリに最大の敬意と感謝の意を表します。

著者紹介
金 悠進（きむ　ゆじん）
1990年、大阪府生まれ。
京都大学大学院アジア・アフリカ地域研究研究科博士課程修了。博士（地域研究）。
現在、国立民族学博物館機関研究員。
主な業績に「自立と依存の文化実践――音楽シーンの発展構造からみるインドネシア民主主義」（京都大学大学院アジア・アフリカ地域研究研究科博士論文、2020年）、「インドネシア・インディーズ音楽の夜明けと成熟」（『東南アジアのポピュラーカルチャー――アイデンティティ・国家・グローバル化』スタイルノート、2018年）などがある。

越境する〈発火点〉　インドネシア・ミュージシャンの表現世界

2020年10月15日　印刷
2020年10月25日　発行

著　者　金　悠進
発行者　石井　雅
発行所　株式会社　風響社

東京都北区田端 4-14-9（〒114-0014）
Tel 03（3828）9249　振替 00110-0-553554
印刷　モリモト印刷

ISBN978-4-89489-287-3　C0039